MW00642178

No temas

Colección «PROYECTO»
40

Carlos G. Vallés, SJ

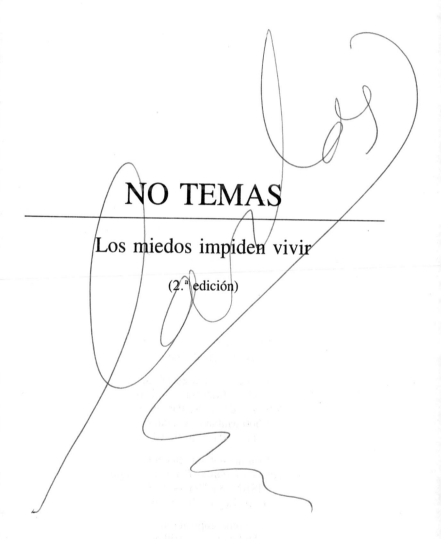

NO TEMAS

Los miedos impiden vivir

(2.ª edición)

Editorial SAL TERRAE
Santander

© 1995 by Carlos González Vallés
Ahmedabad (India)

Para la edición española:
© 1995 by Editorial Sal Terrae
Polígono de Raos, Parcela 14-I
39600 Maliaño (Cantabria)
Fax: (942) 36 92 01

Con las debidas licencias
Impreso en España. Printed in Spain
ISBN: 84-293-1170-X
Dep. Legal: BI-734-96

Fotocomposición:
Didot, S.A. - Bilbao
Impresión y encuadernación:
Grafo, S.A. - Bilbao

Índice

«La vida de un hombre es la historia de sus miedos»
A.S. Neill

Introducción:
Alas para volar

Una vez lo vi. En un camino solitario del cálido paisaje de la India, entre campos y mieses y árboles y arbustos, lejos de toda huella de habitación humana. Yo iba pedaleando suavemente en mi bicicleta —excursión privada sobre la libertad de dos ruedas y sin gasolina— recibiendo en mi rostro el aliento del aire caliente, paseando mi mirada como si fuese dueño del horizonte, y dejando a todos mis sentidos descansar sobre la gran bendición verde que los monzones anuales habían traído a la tierra cansada. No había ni un ser humano a la vista. Solo los pájaros y las ardillas y las mariposas y las abejas. Yo avanzaba despacio, bebiendo el paisaje. Viaje de placer en los dominios de la naturaleza. Pasó un buen rato y un buen trecho de camino cuando comencé a sentir un cambio sutil alrededor mío. Un extraño silencio se había apoderado del campo. Colgaba el peligro en el aire expectante. Paré la bicicleta, eché pie a tierra y escudriñé el terreno.

De repente lo vi. Algo se destacaba sobre la hierba igual. Una serpiente cobra, medio enroscada en el suelo y medio erguida en el aire, con su capuchón desplegado en solemne majestad, y su lengua escribiendo amenazas en el viento. Seguí su mirada con la mía, y llegué a la rama de un arbusto a media altura y corta distancia. En la rama estaba un pajarillo aterido de miedo. Yo había oído que las serpientes les hacían eso a los pájaros. Ahora lo veía.

El pájaro tenía alas, pero no podía volar. Tenía voz, pero no podía cantar. Estaba helado, rígido, hipnotizado. La serpiente sabía su poder y había pronunciado su hechizo. La presa ya no podría escapar, aunque tuviera el cielo entero abierto a su carrera. El miedo atenazaba al pájaro. Un salto desde la hierba, una punzada del colmillo traidor, y el dueño de los vientos caería ante el enemigo terrestre.

Agité la brisa con mi presencia. La serpiente se volvió rápidamente y me miró con furia. Levanté los brazos y grité sonidos humanos. La cobra se bajó con lenta protesta y abrazó el suelo. Allí quedó inmóvil por un momento, calculando riesgos. Luego se escurrió rápidamente entre la hierba. Un gesto de respiro liberó el paisaje. El arbusto volvió a cobrar vida. El pajarillo se despertó de su sueño de muerte. Volvió a encontrar sus alas. Y voló.

Eso es lo que quiero hacer con este libro. Despertar a la brisa. Para que vuele el pajarillo.

El trauma del nacer

Nunca nos recobramos del todo. Nos puede llevar toda la vida el amortiguar la sacudida de nuestra entrada en este mundo. Llevamos la marca de nuestro nacimiento hasta el momento de nuestra muerte. No lo recordamos, y eso precisamente hace que subestimemos la importancia que en nuestras vidas tiene su primer acontecimiento. El pasar inadvertido por nuestra memoria consciente es lo que le da a nuestro nacimiento el poder de influir en nuestras vidas con eficacia oculta y certera. Cuando recordamos un evento, podemos controlarlo, ya que al recordarlo podemos entenderlo, aceptarlo, integrarlo, y así hacerlo parte fecunda y consciente de nuestra historia; pero acontecimientos que escapan a nuestra memoria escapan también, por ello mismo, a nuestro control directo y pueden ejercer libremente su influencia, para bien o para mal, desde el crepúsculo sombrío del olvido perpetuo. Eso es lo que sucede con el nacimiento, experiencia fundamental en nuestras vidas, por la que todos pasamos y que nadie recuerda. Nos marca de por vida con el sello de su novedad, su sorpresa, su brusquedad, su loca aventura hacia los campos de la vida. Podremos entender mejor el funcionamiento de nuestras mentes si pensamos en las circunstancias de nuestro nacer.

Antes de nacer, el niño disfruta de una vida segura y libre de preocupaciones en el entorno amistoso del seno materno. Sus tiernos sentidos se llenan allí del suave calor, la oscuridad tranquila, los movimientos pausados, la caricia permanente del amor materno hecho cuerpo y contacto... Nueve meses de felicidad continuada que escriben un primer capítulo de esperanza en la biografía del nuevo huésped de la humanidad. Etapa olvidada en nuestros archivos oficiales, pero fundamental para entender nuestras vidas. Los rasgos de nuestro carácter se estaban formando ya allí, junto con nuestros miembros y nuestro rostro. Taller oculto de personalidad futura.

En cierta ocasión, una joven mujer que iba a ser madre por primera vez, y a la que yo conocía desde muy pequeña, me preguntó, con el ruborizado candor de su maternidad incipiente, cómo podría ir preparándose para cuidar de su hijo desde el momento en que naciera. Yo le contesté, con la misma espontánea intimidad que ella había tenido conmigo y que su presencia había inspirado en mí, que, si esperaba al nacimiento del niño, sería demasiado tarde; el niño ya estaba con ella, y el cuidado maternal había comenzado. Le dije: «Si tú estás tranquila, relajada, contenta, el niño que llevas dentro lo notará a través del ritmo de tus movimientos y de la alquimia secreta de vuestro íntimo vínculo. Adivinará desde ahora que el mundo es amigo, y la vida hermosa, y que algo maravilloso le está esperando allá fuera en alegre cita. Por el contrario, si tú estás tensa y nerviosa, si te preocupas y te apuras y te mueves con prisas y hablas con enfado, el niño que llevas dentro entenderá enseguida, en oscuro pero certero mensaje, que algo va mal allá fuera, que hay peligros constantes y amenazas mortales en un mundo hostil. Tu responsabilidad de madre ha comenzado ya. Vive desde ahora con la mente en paz y el corazón alegre, si quieres que tu hijo nazca y viva libre de complejos y disfrute de plena salud mental». Ella lo entendió muy bien, y yo formulé mi esperanza de que a través de nuestra conversación el niño hubiera percibido de alguna manera que alguien más, también allá fuera, se preocupaba por él y hacía votos por su futuro, y que ya tenía un amigo que estaba esperando a conocer su rostro y dar la bienvenida a su sonrisa en la hermandad universal que une a todos los hombres y mujeres en el mundo de Dios.

Con más o menos suerte en los mensajes recibidos y en las imágenes proyectadas, esa primera etapa del hombre o la mujer sobre la tierra pronto se acaba, y el niño o la niña se enfrenta al tremendo acontecimiento de su entrada física en la vida como persona individual e independiente. Nada le ha preparado para esa desconcertante experiencia de novedad inesperada. De pronto, todo cambia a su alrededor: la luz abre pupilas vírgenes; voces extrañas entran en oídos intactos; olores múltiples atacan fosas nasales inocentes... mientras los nuevos tejidos de pulmones plegados se abren por vez primera para dar paso a la fresca marea de aire vital. También por vez primera, oye el niño su voz y siente su propio peso cuando su cuerpecito, aún húmedo, cuelga de la mano del médico; recibe en su piel desnuda el primer saludo de la atmósfera que le acompañará desde ahora, en abrazo obligado, a lo largo de toda su carrera sobre la tierra.

Todo esto es nuevo y extraño y amenazador. Es verdad que clínicas modernas de maternidad templan las luces y acolchan los ruidos por respeto al recién nacido; pero, en definitiva, el choque con el mundo exterior es inevitable, y el niño ha de hacer frente al ataque brutal de un universo hostil contra sus sentidos indefensos. ¿Qué son esos ruidos y esos fogonazos, ese calor y ese frío, esos movimientos y esas prisas que sacuden mi cuerpo, y aún más mi alma, en este mundo loco de gritos agudos y relámpagos deslumbrantes en el que me han arrojado sin mi consentimiento? ¡Con lo cómodo que estaba yo antes, tan seguro, tan tranquilo, tan a gusto en el blando entorno de mi primera morada que yo creí me iba a durar para siempre...! Ahora tengo que llorar cuando tengo hambre, tengo que arrastrarme si quiero moverme, tengo que patalear si quiero que me tomen en brazos... ¿Cómo podré sobrevivir, solo y débil, en esta temida lucha que estoy aprendiendo a llamar vida?

El niño ha perdido la seguridad elemental del vientre materno, y el resto de su existencia mortal será una larga búsqueda de la seguridad perdida. Le han privado súbitamente de todo aquello que garantizaba su sobrevivir diario en la primera etapa de su vida. Todo lo que necesitaba para su sustento y protección se le daba antes sin pedirlo. Y ahora, sin previo aviso, se han cortado los suministros y se ha acabado el contrato. Ahora tiene que arreglárselas por su cuenta, con la ayuda de otros, desde luego, pero también con el miedo incipiente de que esos otros le pueden fallar, pueden ir retirándose poco a poco de su vida, pueden incluso abandonarlo un día y dejarlo sin recursos. Ha perdido la seguridad, y el miedo a la inseguridad le acosará hasta el final de sus días.

Ese miedo visceral encauzará sus exigencias, formará sus sentimientos y dirigirá sus actos. Su pauta de conducta, de ahora en adelante, será siempre el deseo y la necesidad de lograr un máximo de seguridad en todas las crecientes exigencias de su vida. Seguridad en habitación y alimento, en afecto y protección, y más adelante en empleo e ingresos, en posición social y bienestar humano..., hasta la última seguridad, que se proyecta, más allá de la muerte, a lo que esperamos y tememos en la otra vida. La batalla por la seguridad ha comenzado, y sus vicisitudes son los capítulos de la íntima biografía de la persona.

El niño busca la seguridad, antes que nada, en su propia madre, y de ella cuelga físicamente en simbólico abrazo, mientras recompensa las caricias maternas con la seductora ternura de su cariño infantil. El niño pequeño necesita la presencia cercana de su madre, su voz, su caricia, para asegurarse de que ella está al lado y se preocupa por él, responderá a sus llamadas y atenderá a sus necesidades. La pérdida de la seguridad original del seno materno queda compensada, hasta cierto punto, por el hecho de que el niño se convierte en el centro de la casa y en el foco de atención permanente día y noche. Sus padres acomodan sus horarios a la vida de él, su madre está de permiso por unos meses para atenderlo, y siempre hay alguien a cuyos oídos pueden llegar los sollozos de la cuna, que consiguen atención inmediata en emergencia prioritaria. Todo vuelve a funcionar bien por una temporada, y parece que la ansiada seguridad retorna a la vida del niño.

Pero pronto viene otra crisis a amenazar la frágil seguridad del niño que va creciendo. Un día, su madre lo arregla por la mañana, lo lleva consigo arropado en su mejor vestido y acompañado de sus juguetes favoritos, se para enfrente de un edificio desconocido, deja al niño en las manos de otra mujer, con muchas sonrisas por ambas partes, lo besa con rápida insistencia y desaparece enseguida escaleras abajo. Se cierra la puerta, y el niño se encuentra por vez primera en una habitación en la que no está su madre. Se ha marchado. ¿Será posible? ¿Será posible que me abandone aquella de quien yo más me fiaba, de quien estaba seguro de que habría de estar siempre a mi lado? ¿Será posible que me deje, así como así, en las manos de otra mujer y desaparezca de mi vida? Si no me puedo fiar de ella, ¿cómo puedo fiarme ya de nadie en este mundo? Me llevan de una parte para otra, y nunca sé adónde voy a ir a parar. La agonía infantil acaba, por fin, cuando su madre vuelve a buscarlo y le compensa las horas perdidas con besos multiplicados que más bien sirven para subrayar la separación y aumentar las sospechas. ¿No será la vida algo que, a fin de cuentas, tenemos que vivir solos?

Otra calamidad aún mayor espera al niño o a la niña en su crecimiento cuando le nace un hermanito o hermanita. Crisis en la familia. Hasta ahora, yo era el centro de todo, y ahora, de repente, me veo desplazado, y mi trono se lo dan a otro, a un extraño y un rival que monopoliza la atención de mis padres día y noche, mientras yo me pudro en un rincón. Competencia en mi propia casa. ¿Cómo puedo volver a sentirme seguro en la vida cuando no puedo sentirme seguro ni en mi propia familia? Todas las explicaciones que le dan sus padres no consiguen acallar los miedos internos del niño ni devolverle la seguridad perdida. A la larga, sí, el niño aceptará al recién venido, y cuando ambos crezcan serán hermanos y se amarán y defenderán el uno al otro hasta olvidarse del primer choque; pero la inseguridad que el encuentro creó en un principio ha dejado ya para siempre su marca indeleble en las profundidades del subconsciente. El miedo a quedarse solo, a ser abandonado aun por los seres más cercanos y queridos, será una sombra alargada a través de todos los caminos de su vida. Nadie está seguro.

La competencia, una vez comenzada, pronto se extiende a los distintos campos del esfuerzo humano que esperan al joven y a la joven, con todo el aparato de tensiones y ansiedades que la sociedad moderna impone a todos sus nuevos candidatos. Competencia en el colegio y en la universidad para títulos, primeros puestos, premios y becas. Competencia para el empleo, salario, ascensos, posición social. Competencia en el deporte y en el amor... Apenas hay un área de actividad humana que quede libre de la fricción diaria causada por la necesidad de abrirse camino en conflicto con los demás. Hay que adelantarse a los demás, y hay que mantener la ventaja una vez obtenida. Vivimos constantemente bajo el miedo —sentido con mayor o menor intensidad, pero siempre presente— a no conseguir lo que queremos, o a perderlo una vez conseguido. La incesante competencia crea un clima de inseguridad, y la inseguridad es la madre del miedo.

Comentando con un amigo mío casado los miedos de la niñez, me contó su propia experiencia con su hijo, que ya no era un niño. El muchacho insistía en que su padre estuviera a su lado cuando él se acostaba, y se dormía agarrado a su mano. Su padre esperaba a que se durmiera para retirar la mano y liberarse, pero el hijo lo notaba, aun medio dormido, y apretaba más fuerte. El padre tenía que esperar más, y luego, muy despacio, soltar su mano mientras pensaba, como él mismo me dijo, que llegaría un día en que su hijo tendría que dormir por su cuenta, sin una mano amiga que apretar. Miedos nocturnos en cuerpos inocentes.

Todos nuestros miedos están vinculados unos con otros en secreta y taimada genealogía, y, sea cual sea su objeto inmediato, oculto o aparente, todos tienen en común el negro presentimiento del peligro inminente; todos derivan su origen, en herencia ininterrumpida, de la primera pérdida de seguridad en el trance del nacer; y todos prefiguran, con velada pero cierta profecía, el último trance del morir. La inseguridad causada por el primer nacimiento queda transferida al segundo nacimiento a la vida futura. Nadie sabe exactamente lo que le aguarda al dejar este mundo, como no sabía lo que le aguardaba cuando vino a él; y, así, la inseguridad de la muerte resulta ser la contrapartida de la inseguridad del nacimiento, y la vida humana queda acotada entre estas dos supremas inseguridades. El hombre y la mujer nacen en un mundo extraño, y lo dejan por otro más extraño aún, siempre bajo el signo de lo desconocido. El miedo a la muerte, alimentado por todos los miedos menores a lo largo de toda una vida, se erige como el obstáculo fundamental que hay que superar con el coraje resuelto de abrazar la vida y desenmascarar todas sus amenazas con fe y confianza. El peor de los miedos es el miedo al mismo miedo. Cuando nos encontramos dispuestos a enfrentarnos a nuestros miedos, estamos ya en camino de vencerlos.

El círculo mágico

Rabindranath Tagore nació en una familia numerosa. Él era el decimocuarto hijo de sus padres, y sus tíos y primos vivían también bajo el mismo techo, lo que constituía casi un pueblo. Durante la mayor parte del día, el cuidado de los niños pequeños se dejaba en manos de los criados, y así tuvo lugar el episodio que el sabio poeta y humanista universal recordó más adelante en su vida. Cuando el criado encargado de cuidarlo se cansaba de jugar con él y vigilarlo, trazaba un círculo con tiza en el suelo de la habitación, con el niño en el centro, y le decía: «Si te sales del círculo, vendrá un monstruo y te devorará». Y confirmaba la amenaza con la historia del *Ramayana* en la que Lakshmana traza una línea que Sita no debe cruzar, por su propio bien y protección; pero la cruza, y es raptada por el malvado Ravana. Luego el criado se marchaba, y el pequeño Rabindranath se quedaba solo en la habitación, prisionero impotente de la frontera fatídica, sin atreverse en absoluto a cruzarla, sufriendo en soledad resignada las horas en que el criado se ausentaba, imagen aterida de miseria total sobre el círculo desnudo. Sólo cuando, al cabo de un largo rato, el criado tenía a bien volver y borrar la circunferencia maldita, podía el niño salir y volver a la libertad y a la vida. Y el recuerdo de aquellas tristes horas quedó en la memoria del patriarca mientras duró su larga vida.

Imagen tenebrosa de lo que el miedo hace. El círculo negro, la amenaza brutal, el miedo enervante, la incapacidad física de cruzar la línea temida, cuando mente y cuerpo se desploman inertes. El hombre y la mujer, con todo su poder de imaginación y pensamiento, de arte y poesía y creación y alegría, yacen derrotados sobre el frío suelo de la desesperación humana. Una tenue línea los tiene prisioneros, un miedo irracional paraliza sus nervios. No se moverán, no pensarán, no se atreverán a desafiar al oscuro poder que domina sus vidas con cruel tiranía. ¡Qué fácil es trazar la línea fatídica, y qué difícil cruzarla! La persona mayor reconocerá enseguida la falsedad inútil de la línea caprichosa que actúa como muro de prisión ante el tímido niño; pero no caerá en la cuenta con la misma facilidad de las muchas líneas y círculos que la tienen a ella aprisionada en su propia vida y no le dejan salir y moverse y recobrar la libertad y la confianza. Miedos sutiles y temores escondidos que nos atan y nos retienen y no nos dejan saltar estrechas fronteras y conceptos restringidos para emprender nuevas aventuras en la mente y en la vida. El miedo nos paraliza y empequeñece nuestras vidas.

Las niñas de primer curso en un colegio estaban dando su examen escrito en la misma clase y vigiladas por la misma profesora que habían tenido durante todo el año. A mitad del examen, la profesora tuvo que ausentarse, y la directora del colegio vino a sustituirla. Se comprobó después que las niñas habían contestado mucho mejor a las preguntas de la primera parte del examen que a las de la segunda, aunque todas eran del mismo nivel de dificultad. La presencia de la temida directora, en lugar de la profesora amiga, había actuado como factor limitador en sus tiernas mentes.

Tanto los padres como los profesores conocen bien la constante queja de los escolares de que se sabían perfectamente las preguntas, pero no consiguieron acordarse de ellas en el examen... Eso bien puede ser una excusa por la falta de preparación o de cabeza, pero también puede ser, y con frecuencia lo es, una experiencia real ante un reflejo inhibitorio incontrolable en la situación amenazadora de un examen importante. La mente se queda vacía, las fórmulas y procedimientos se olvidan, la mano permanece inmóvil, y el tiempo, que no perdona, va contando minutos perdidos sobre el papel en blanco. Cuando suena el fatídico timbre y sale del aula, la desgraciada víctima será capaz de contestar todas las preguntas y resolver todos los problemas, lo que sólo conseguirá aumentar su desesperación y la de quienes la creen y la quieren. Se sabía las respuestas, pero no pudo escribirlas.

Nuestros ojos a veces no ven, y nuestras mentes son a veces incapaces de pensar, de sacar las debidas conclusiones y de tomar las decisiones apropiadas, porque el miedo se apodera de nosotros, y nuestras facultades naturales quedan paralizadas ante la presencia del gran enemigo. El miedo rebaja trágicamente nuestro nivel de vida.

¿Por qué los humanos somos los únicos animales que no nadamos espontáneamente? Porque tenemos miedo a ahogarnos. Tenemos miedo al agua, a perder pie, a irnos al fondo…; y así, al primer contacto con la fría superficie, se nos agarrota el cuerpo, se nos corta la respiración, comenzamos a aporrear el agua a la desesperada con brazos y piernas, y nos hundimos sin remedio en aguas que de por sí son neutrales y nos mantendrían a flote alegremente con un mínimo de cooperación tranquila por nuestra parte. Hay academias para enseñar a nadar, cursillos e instructores que garantizan un aprendizaje rápido en todos los estilos… El hombre y la mujer han de aprender a nadar. Y sé muy bien lo difícil que puede resultar la asignatura. Yo no logré convencer a un muchacho de que podía flotar perfectamente en agua salada con sólo estarse quieto con los brazos extendidos, mirando al cielo y respirando rítmicamente bajo el sol. Él lo intentaba mientras yo sostenía su espalda con mi mano, pero se arrugaba y doblaba en el instante en que yo retiraba mi mano y él se sabía solo en el taimado elemento. No se fiaba del agua. No se fiaba de su propio cuerpo. No se fiaba ni siquiera de su inteligencia, que le decía que la densidad del cuerpo humano es ligeramente inferior a la del agua salada, y flota en ella si se le deja en paz. Su imaginación inventaba peligros, sus labios gustaban el sabor amargo del mar, sus piernas comenzaban a hundirse, y él se revolvía y enderezaba enseguida para recobrar la seguridad perdida. El peso del miedo le impedía flotar.

En mi juventud, iba yo una vez a caballo cuando se nos cruzó un río en el camino. El caballo entró en el agua, y yo no supe el momento en que dejó de andar por el lecho del río y comenzó a nadar conmigo encima. Lo hizo con tal naturalidad, con tal suavidad, con tal entrega y discreción que, si deduje que el caballo había atravesado el río a nado, fue porque yo sabía que el río era tan profundo que ni siquiera el caballo podría hacer pie. Otra vez, también de joven, me encontraba yo con un grupo de muchachos, uno de los cuales arrojó una gallina a una piscina para divertirse. La gallina armó un buen escándalo con sus ruidosas y justas protestas, pero nadó sin ayuda de nadie hasta el borde, entre los aplausos de todo el grupo. Y los perros y los ratones y las serpientes y las vacas son nadadores de primera. No necesitan academias ni instructores ni cursillos. La madre naturaleza enseña a sus criaturas a nadar con la dirección íntima del instinto certero. No hay razón alguna para creer que el hombre y la mujer, como hijos e hijas de la naturaleza, no posean ese instinto. Desde luego que lo tenemos. Pero lo apagamos, lo acorralamos, lo suprimimos con el razonamiento especulativo de nuestras mentes entrometidas. Tenemos imaginación y presentimientos, y nuestro miedo y precaución los hacen funcionar para protegernos de peligros inventados. Nuestra mente crea miedos que nos impiden avanzar en la vida. En vez de usar nuestra imaginación para encontrar nuevas sendas en los bosques del pensamiento y la conducta, la usamos para bloquear las que ya existen con miedos inútiles. Así nos hundimos en las aguas que habían de ser camino para nuevas playas.

Conocí a un hombre que se ganaba la vida con su falta total de miedo. No temía las alturas, y se dedicaba a reparar cúpulas de iglesias, torres de monumentos y cualquier lugar alto e inaccesible en edificios públicos. Allí donde cualquier otro se habría mareado, habría sentido vértigo, y el estómago se le habría hecho un nudo, él se instalaba alegre y despreocupado y se ponía a limpiar fachadas o alisar grietas al ritmo de su desafinado cantar. Podía mirar hacia abajo desde alturas imposibles sin ocurrírsele que podía resbalar, caer y matarse. Su falta de imaginación era su forma de vida. Vivía bien porque no sentía miedo.

Hay personas, en cambio, que no pueden subirse a una altura, asomarse a una terraza o viajar en avión. Las líneas aéreas rebajan las estadísticas, pero hay bastante gente que se desasosiega al abrocharse el cinturón del asiento, y no falta quien simplemente se niega a volar. Fobia extraña pero real en la era de los viajes. Se conocen casos de personas que han rechazado un ascenso o han perdido el empleo por negarse a volar. El puesto requería vuelos frecuentes a largas distancias más allá del coche y el tren, y hubo que abandonar la ventaja real a causa de la debilidad interna. Algo en su interior les impedía subirse a un avión, y su carrera profesional cedió a sus miedos. El miedo puede quitar un empleo, así como la falta de miedo puede crearlo. Si añadimos a la lista el miedo de encontrarse con gente, de sonrojarse, de hablar en público, de estar en espacios abiertos o en sitios cerrados, y muchos más que ni siquiera se nos hayan ocurrido pero que son bien reales para quienes los padecen, nos haremos una idea del malestar diario y el sufrimiento profundo que el miedo en todos sus aspectos causa a la humanidad.

Hay terapias variadas para tratar fobias concretas, y mucha gente ha encontrado alivio a manos de psicólogos experimentados. Este libro no pretende reemplazar en manera alguna el tratamiento personal con un buen profesional, pero sí intenta ayudar a crear un clima, una actitud, una atmósfera interna que propicien el despertar de la mente y la cooperación de los sentidos para desenterrar miedos ocultos y dominarlos con habilidad y firmeza. Para empezar, el mismo hecho de caer en la cuenta de que el miedo ocupa en nuestra vida un lugar mucho más importante de lo que de ordinario estamos dispuestos a admitir, es ya una primera condición para la cura. No hace mucho, en una larga charla con un compañero, le hablé yo de los diversos miedos que había descubierto en mí mismo, de su efecto negativo en mi vida y de la manera como me había librado de algunos de ellos. Yo era consciente de que, al hablar así, lo que yo pretendía era que él también se pusiera a hablar de sus miedos, ya que yo sospechaba que los tenía en abundancia, y podía venirle bien un repaso y análisis de sus propios miedos. Bueno fue mi chasco cuando, al fin, comenzó él a hablar y me dijo en tono condescendiente: «Comprendo que las circunstancias de tu vida te han llevado a sentir todos esos miedos, y aprecio, desde luego, todo lo que has hecho y sigues haciendo al respecto. Por mi parte, yo tuve una infancia feliz y una vida bien protegida, y nunca he tenido miedo alguno que me preocupe. Ha sido un placer escucharte». Espero que este libro tenga algo más de eco que aquella conversación.

La serpiente en sueños

Conocemos algunos de nuestros miedos. Amenazas físicas o morales. Podemos tener miedo a la oscuridad, a las enfermedades contagiosas, a ver sangre, a la muerte... Y lo sabemos. Podríamos hacer una lista de nuestros miedos, o marcar los que nos corresponden en las listas que traen los manuales de psicología práctica. Incluso admitimos ante nosotros mismos y ante otros que tenemos miedo a ciertas cosas y que sentimos ansiedad en determinadas circunstancias. Sin embargo, sigue siendo importante caer en la cuenta de que algunos de nuestros miedos se esconden en el subconsciente sin que tengamos conciencia de ellos. Éstos son los que más daño nos hacen.

Cuando sabemos que tenemos miedo de algo, podemos enfrentarnos a ese miedo, podemos hacerle frente, abordarlo, explorar modos y maneras de minimizarlo o incluso hacerlo desaparecer del todo, o al menos aprender a vivir con él. Cuando no caemos en la cuenta de nuestros propios miedos, cuando los negamos, rehusamos verlos, nos olvidamos de ellos, es precisamente cuando nos hacen más daño, ya que ejercen su funesta influencia sin impedimento alguno, y nosotros somos los que salimos perdiendo. Pensamos que tener miedo es algo vergonzoso, y ésa podría ser la razón por la que tapamos y encubrimos nuestros miedos, no sólo ante los demás, sino sobre todo ante nosotros mismos, ya que queremos preservar nuestra imagen de personas valientes, enteras, sin miedo... No queremos avergonzarnos ante nosotros mismos, y así nos estiramos con orgullo, echamos la cabeza atrás, sacamos pecho y proclamamos altivamente que no nos afectan los miedos y temores de que la gente ordinaria se queja. Entre tanto, el miedo se ha camuflado, ha descendido a la clandestinidad del subconsciente, y desde allí ataca con mayor eficacia la ciudadela indefensa. Seremos los primeros en ganar si nos permitimos el lujo de mirar a nuestros miedos cara a cara, sin vergüenza ni escrúpulos, en lugar de pretender que no tenemos miedo a nada. Sí tenemos miedo, y nosotros mismos deberíamos ser los primeros en reconocerlo.

Una vez, durante un viaje por el extranjero, soñé que había perdido el pasaporte y que me encontraba perdido en un aeropuerto lejano, sin ayuda ninguna y sin manera de salir del apuro. Fue una angustiosa pesadilla, tanto que me desperté de pura ansiedad, y me encontré, con inmenso alivio, con que no había sido más que un mal sueño. Lo curioso del caso es que yo no tenía conciencia explícita de tener miedo a perder el pasaporte. He viajado mucho, sé cuidar de mi equipaje y, en el peor de los casos, confío en que sabría afrontar la crisis y salir del paso. No voy a permitir que una remota posibilidad, que no es más que la proyección loca de un cerebro calenturiento, me perturbe en lo más mínimo. Si me voy a preocupar por esos posibles accidentes, nunca saldría de casa. No, yo tengo miedo a perder el pasaporte.

Y, sin embargo, lo tengo. Mi subconsciente lo sabía, y sacó de entre las sombras de la noche lo que yo me negaba a ver a la luz del día. Yo tenía miedo, presentía dificultades, me sentía inseguro; y lo que estaba haciendo era empujar todos esos sentimientos poco nobles hacia los rincones más oscuros de mi mente, para demostrarme a mí mismo y al mundo que yo era valiente y no tenía miedo, cuando en realidad estaba temiendo constantemente que sucediera algo grave. La pesadilla se repitió varias noches, lo cual demuestra que debía de ser un miedo bien profundo;

y, sin embargo, oficialmente yo no me había percatado de él. ¡Cuántos más miedos, grandes y pequeños, deben de andar sueltos por las galerías subterráneas de mi inconsciente, amenaza permanente a la paz de mi alma, seguros como están en el anonimato, ya que yo sigo resistiéndome a admitir su existencia...!

Más recientemente, en otro sueño, vi con un realismo aterrador a una cobra alzada junto a mis pies, dispuesta a atacar, y el efecto fue tan real que, dormido como estaba, me revolví para defenderme y le di una fuerte patada en su caperuza desplegada. La patada, de hecho, se la di a la pared junto a la que descansa mi cama, y el golpe me produjo tal dolor en mi valiente pie que me desperté violentamente, no sabiendo todavía si yo le había dado a la cobra, o si la cobra me había dado a mí. Durante varios días, tuve que andar cojeando, con el dedo gordo del pie vendado y con el rubor que se me subía al rostro cuando me preguntaban qué me había pasado en el pie. Mis amigos sonreían perplejos cuando les decía que le había pegado una patada a la pared en sueños. ¿Andaba yo bien de la cabeza? No del todo. Lo peor es que conozco y acepto la interpretación que de los sueños da la teoría *Gestalt,* según la cual los objetos de nuestros sueños son proyecciones de nuestro propio ser que nosotros rechazamos en la vigilia y que resurgen en las sombras de la noche, cuando se suprime la censura de la mente consciente y les llega la libertad. Dicho de otro modo, la cobra era yo mismo, algún aspecto oculto de mi personalidad, alguna tendencia o creencia o costumbre que yo tenía y hacia la que sentía miedo sin saberlo, mientras ella me atacaba con veneno en sus colmillos. Y lo importante e inquietante era que todo ese juego de miedos y ataques y contraataques se iba desarrollando libremente dentro de mí, sin yo saberlo. De día, la máscara imperturbable; de noche, la temible serpiente. Reto y oportunidad para conocerme mejor a mí mismo. No sólo era el dedo gordo de mi pie derecho el que necesitaba un vendaje; también lo necesitaban determinadas partes de mi mente.

Además de saber cómo ocultarse de nuestra vista, el miedo sabe también cubrirse con el disfraz de otras emociones más respetables para poder ejercer su maligna influencia sin revelar su presencia. Su disfraz favorito son el enfado y la tristeza. No podemos estar a un mismo tiempo temerosos y enfadados; y así, con frecuencia traemos la capa del enfado para encubrir la realidad del miedo. Un psicólogo cuenta una experiencia que tuvo de joven. Sus padres habían cambiado de domicilio, y él se encontró a mitad de curso en otro colegio. Allí le sometieron a la típica novatada, que le llevó a enfrentarse con el matón del colegio. Cometió el error de derribar a su adversario, lo que hizo que una docena de chicos se le echaran encima y lo atenazaran contra el suelo bajo el peso de sus cuerpos. A él le entró el pánico en aquella situación físicamente insostenible, y de repente dio un grito salvaje, se levantó entre aquella muralla humana y se liberó de todos los que le rodeaban agitando brazos y piernas con loco frenesí de irresistible violencia. La furia había suplantado al miedo. Sus adversarios se alejaron en circulo respetuoso, y la oportuna llegada de un profesor acabó con el penoso incidente. Mientras tuvo miedo, se acobardó y perdió su fuerza; pero cuando le sobrevino la furia, se olvidó del miedo y recobró su fuerza en toda su extensión. Cuando se calmó su furia, volvió a tener miedo y comenzó a preocuparse por lo que iba a pasar. Por fortuna, para entonces sus compañeros de colegio se habían asustado demasiado con su despliegue de poderío físico y habían quedado acobardados. La novatada había concluido.

Si el enfado reemplaza al miedo, la tristeza puede reemplazar al enfado y, en consecuencia, enmascarar el miedo. Un miedo agudo no puede durar mucho, y una manera de perpetuarlo es disolverlo en tristeza, que causa el mismo efecto de paralizar el alma bajo el peso nebuloso de una adversidad indefinida. Es más fácil decir «estoy triste» que «tengo miedo», y con esa declaración la tristeza se instala en el alma y prolonga el reinado solapado del miedo en nuestras vidas. Aun las personas más equilibradas tienen temporadas de tristeza difuminada en las que la carga del desaliento se ve aumentada por la falta aparente de razón para tenerlo. ¿Por qué me encuentro así? ¿Por qué no tengo ganas de nada? ¿Por qué estoy triste sin razón, sin explicación alguna que pueda yo dar de este largo y agonizante desánimo? ¿Cuándo acabará esto? ¿A dónde me llevará?... Las cadenas de la tristeza atan alma y cuerpo con trágica eficacia. Languidecemos bajo la tristeza como temblábamos bajo el miedo. Todas nuestras emociones negativas son, a fin de cuentas, las mil caras del miedo.

También el odio puede ser miedo disfrazado. Odiamos lo que tememos. Una manera de protegernos de una situación amenazante es odiar todo lo que conlleva, sobre todo a las personas que la causan. Al odiar a esas personas, las alejamos de nuestra vida, interponemos la seguridad de la distancia entre ellas y nosotros, eliminamos la influencia que sobre nosotros pudieran tener, y así ya no tememos a los que hemos desterrado de nuestra vida con el odio. Si el odio parece palabra demasiado fuerte, podemos hablar de desgana o de desprecio... Cuando alguien nos desagrada permanentemente, podemos pensar que ese desagrado quizá tenga su origen en el miedo oculto a lo que esa persona nos pueda hacer. Entonces, sin conciencia explícita del miedo, el desagrado irracional continúa, y la amistad se quiebra. Tras la declaración abierta o velada, «te odio», podemos escuchar el eco del sentimiento original: «te temo». Conozco a una persona que repite constantemente que «odia a Madrid», cuando la realidad es que «teme a Madrid». Nació en una tranquila provincia, y el bullicio, la prisa y el frenesí de la capital no son para él. Pero no va a decir que tiene miedo, y por eso dice que odia. Extraña sociedad, en que el odiar parece más respetable que el temer.

Los celos en el amor no son otra cosa que miedo a no ser amado, miedo a perder a la persona a la que amamos y necesitamos, al saber que se siente atraída por otra persona; y por eso odiamos a esa otra persona y deseamos su desaparición, para asegurar nuestra tranquilidad. La inseguridad afectiva es el caldo de cultivo de los celos; y la inseguridad es el comienzo del miedo.

Un pequeño análisis nos descubrirá, sin exagerar ni simplificar demasiado, que todas nuestras emociones negativas pueden, en último término, reducirse al miedo. En síntesis, puede decirse que no hay más que dos emociones humanas básicas, una positiva y otra negativa. La positiva es el amor, y la negativa el miedo. Eso establece, una vez más, la importancia del miedo en nuestras vidas.

El pequeño escudo

Aunque el miedo sea la emoción más negativa en nosotros, tiene, sin embargo, algunos aspectos positivos, y es justo reconocerlos. Eso nos ayudará a aceptar nuestros miedos y mirarlos a la cara. Si, al fin y al cabo, sirven de algo, podremos admitir con más facilidad el hecho de que los tenemos, identificarlos, clasificarlos y curarlos con mayor eficacia. Todo ello puede sernos de gran ayuda.

Lo primero bueno que hace el miedo es protegernos. Cuando aparece algún peligro, que bien puede ser real e inminente, la reacción de miedo ante él nos lleva a buscar protección y evitar el daño. Hay animales que necesitan el miedo para vivir. Ejemplo insigne es la pareja de ardillas vecinas mías que se me meten por las ventanas abiertas y comparten la habitación conmigo sin pedirme permiso ni pagar renta. Mordisquean las cortinas, se apropian de mis calcetines para acolchar su nido, se persiguen una a otra en sus juegos interminables por encima de mi cama y mi mesa de trabajo, y me miran con compasión desdeñosa mientras yo sigo escribiendo a máquina, resignado a mi destino. Nos conocemos de hace tiempo, y saben perfectamente por su propia y larga experiencia que nada tienen que temer de mí. Y, sin embargo, me tienen miedo. Basta con que yo haga el más ligero movimiento para que salgan disparadas por la ventana, salten con acrobacia ejemplar a través del espacio y se agarren al vuelo al árbol más cercano para colocarse cuidadosamente en la parte de fuera del tronco, desde donde me miran con sus curiosos rostros triangulares y esperan impacientes a que en mi habitación se restablezca la calma absoluta y puedan volver a emprender sus juegos por mi cama y mi mesa. El miedo es su defensa. No tienen fuerza ni músculo ni pico ni garras. Pero tienen miedo, y eso las salva. Huyen ante la misma sombra de peligro. Encuentran seguridad en la huida. Notan al instante la más leve señal de un posible problema, reaccionan con totalidad instantánea, vuelven grupas y desaparecen de la vista. Sus espesas colas tiesas en el viento parecen ser las antenas que captan las ondas de aviso y las transmiten a su cerebro y a sus cuatro patas para la acción inmediata. Un salto, y ya no se las ve. Imposible soñar en atraparlas. Sus reflejos son más rápidos que los del organismo humano, porque su vida depende de ellos. Nacen con el íntimo sentido del miedo, que las protege en un mundo hostil.

Una vez, un amigo mío encontró una cría de ardilla recién nacida; la tomó cuidadosamente en sus manos para acariciarla y alimentarla, pero, antes de que pudiera hacerlo, el animalito murió en sus manos... de miedo. El contacto con una mano humana había sido demasiado para un organismo basado en el miedo, y había muerto de temblor en el dudoso abrazo. Tragedia de un instinto exagerado. Y lección para nosotros, para aprender a obtener la protección que brindan nuestros miedos, sin permitirles que nos ahoguen el alma.

Para ver ciervos, gacelas, antílopes en su propio hábitat, hay que ir al África. Rebaños de todo tipo, número, especie y tamaño sobre las llanuras tropicales. Entre ellos, el instinto preservador del miedo reside en el grupo. Juntos pastan en las altas hierbas, juntos se mueven con aparente despreocupación entre los pájaros y las brisas y los ruidos de la selva. Pero hay ruidos y ruidos; y los ciervos conocen la diferencia. En cuanto suena en el aire una nota discordante, todas las cabezas se vuelven al mismo tiempo y todas las orejas se orientan en la misma dirección. Llega la señal secreta, y todos saltan a una, cien gráciles arcos de oro sobre fondo verde, y todos desaparecen a una por el mismo horizonte. Todos obedecen al miedo comunitario ensayado en unísono paralelo. El miedo y la velocidad son la protección de la especie. Si han de sobrevivir en la dura competencia de la selva virgen, necesitan su afinado radar y sus veloces extremidades. Si bajan la guardia por un momento, serán presa fácil para el rey de la selva. Un antílope que no tenga miedo no durará mucho en las llanuras africanas.

Nuestros antepasados también vivían en la selva y necesitaban el miedo para sobrevivir. Ése es el miedo que desde entonces ha quedado programado en el organismo humano en espirales genéticas, y que heredamos junto con nuestros cuerpos y nuestras mentes. El miedo como reflejo que nos induce a retirarnos y escondernos cuando las circunstancias son adversas y la vida peligra, es el instinto ancestral de conservación que todos llevamos dentro. También, junto con él, el miedo que se ha transformado en tristeza y abatimiento, y que se apoderaba del hombre y la mujer primitivos cuando las cosas se ponían mal, el frío arreciaba y la caza escaseaba en los alrededores. Para ahorrar energía, para aguantar en un crudo invierno, para curarse una herida o calmar una fiebre, el hombre y la mujer de las cavernas se dejaban caer en un letargo protector para reducir al mínimo el gasto de energías durante un período de hibernación y poder volver más tarde a la actividad normal con el sistema intacto. El mismo reflejo se activa en nosotros cuando nos enfrentamos a circunstancias adversas, cuando pasamos por una crisis, cuando necesitamos ahorrar energía en los inviernos de la vida y, en consecuencia, nos encontramos bajos de forma y deprimidos. No es más que nuestra propia naturaleza, que planifica su supervivencia. Nuestro organismo se repliega sobre sí mismo en humildad vital, para volver a la plenitud de la existencia cuando pase la crisis. No nos gustan esos períodos de mal tiempo y oscuro pensar, pero también ellos tienen su lugar en la totalidad de nuestra vida. No podemos estar siempre en la cumbre, y necesitamos los valles del sufrimiento para completar el complejo itinerario de nuestro peregrinar sobre la tierra.

Otro aspecto positivo del miedo es, paradójicamente, opuesto a sus otros efectos, pero no por ello es menos verdadero. He dejado dicho que el miedo puede paralizar a un estudiante en un examen; pero también digo ahora que a veces le puede ayudar a hacerlo mejor. Algunos actores declaran que, si no llegan a sentir un cierto grado de ansiedad, no dan de sí todo lo que pueden sobre el escenario. Un poco de tensión puede ayudar al trabajo, y son muchos los que trabajan mejor cuando se les presiona. Cuando tenemos todo el tiempo que queramos y todas las facilidades del mundo para hacer un trabajo, tendemos a aflojar y a descuidarnos, con lo que las cosas acaban mal al final; en cambio, si tenemos que conseguir un resultado importante en un tiempo fijo, declaramos una emergencia, enfocamos todas nuestras facultades, agotamos todos los recursos y logramos un éxito rotundo. Un poco de adrenalina viene bien para aligerar procesos y animar reacciones. En todos estos casos, se trata de una dosis reducida de miedo para que funcione bien; si la dosis fuese excesiva, tendría probablemente el efecto opuesto que he mencionado antes, y atenazaría las facultades, sin dejarlas funcionar a tope. Un gran maestro de ajedrez reveló una vez que lo mejor que le podía pasar en un campeonato era perder la primera partida. Entonces sí que estaba seguro de que iba a sacar todas sus fuerzas, emplear todas sus energías y conseguir la victoria final. Si comenzaba con una victoria fácil, tenía el peligro de descuidarse, confiarse, dejar que el juego se le fuera de las manos… y acabar perdiendo.

Un poco de competencia, aun con la ansiedad y la tensión que genera, puede ayudarnos a dar lo mejor de nostros. El peligro viene cuando la competencia aumenta y se impone en todas nuestras actividades con su carga de preocupación y angustia. Lo mejor sería que consiguiésemos emplearnos a fondo sin necesidad del empujón del miedo y la ansiedad; pero la excesiva tranquilidad no siempre da los mejores resultados a que podemos aspirar si queremos hacernos justicia a nosotros mismos. Feliz es quien lo logra.

La timidez es una manifestación menor del miedo y, como tal, puede reducir nuestra eficacia y nuestras facultades. Las mejillas se encienden, los ojos se bajan, la lengua se hace un nudo, y nada se dice ni se hace cuando algo debería hacerse y decirse. «El que tiene vergüenza, ni come ni almuerza», dice el proverbio. La persona tímida no logrará alcanzar justicia en este mundo injusto, donde hay que luchar para obtener lo que a uno se le debe. Defender tu puesto en una cola, lograr que te atiendan en una tienda con muchos clientes y pocos dependientes, presentarse a una entrevista, solicitar un empleo... son circunstancias penosas aun para una persona de carácter fuerte, pero pueden llegar a ser un tormento cuando el candidato es tímido y retraído. Un cierto grado de atrevimiento es necesario para abrirse camino en la vida y conservar el lugar a que uno tiene derecho en la sociedad.

Conozco los sufrimientos de un joven tímido que por una temporada no encontró otro trabajo que el de vender Biblias de puerta en puerta. Sufría cada vez que llamaba a una puerta, le costaba un triunfo cada sonrisa, y cada venta era un respiro inesperado. Dios debió de apreciar en su justo valor los esfuerzos de aquel joven que ni siquiera era cristiano... En el otro extremo está el vendedor agresivo, a quien le vendría bien un poco de recato en sus modales, aunque bajaran las ventas...

La timidez, a pesar de las dificultades que crea, no deja de tener su encanto, y, lo mismo que el miedo, puede también protegernos del peligro. El Mahatma Gandhi nos cuenta con encantadora inocencia, en su autobiografía, la historia de cómo su virtud se puso a prueba de una manera poco delicada. Antes de embarcar para Inglaterra, había prometido a su madre que no tocaría el vino, la carne ni a las mujeres, ya que sólo con esa condición se avenía ella a dejarle ir. Cuando su barco hizo escala en un puerto a mitad de viaje, Gandhi bajó a tierra con un compañero, el cual no tardó en encontrar a dos muchachas; él se fue con una de ellas y dejó a Gandhi con la otra en una habitación privada. Gandhi no era ningún tonto y conocía las intenciones. Pero era tímido, y se quedó sentado sin moverse, mientras la chica hacía lo mismo. Al cabo de un rato, él se levantó sin decir nada y abrió la puerta. La muchacha entendió y se marchó. Gandhi dio el siguiente título al capítulo de su autobiografía en que relata el incidente: «La timidez: mi escudo». Es justo notar que más adelante supo sobreponerse a su timidez en servicio del país, se enfrentó a virreyes, arengó a multitudes y dirigió movimientos de masas en su lucha por la independencia. Pero siempre estuvo agradecido a aquel pequeño escudo que lo había protegido en un momento delicado. El hombre que trajo la independencia a la India fue un hombre tímido.

El sacrificio del caballo

Otro importante papel que desempeña el miedo es el de modelar nuestra mente, si sabemos interpretarlo y sacarle partido. Brevemente, es como sigue: el miedo marca los límites de nuestra personalidad y, en consecuencia, nos muestra la dirección que hemos de seguir para ampliar esa personalidad si así lo deseamos. La idea es sencilla, y sus consecuencias llegan lejos. Merece la pena examinarla un poco más detenidamente.

Que tenemos fronteras en nuestra vida, nos lo dice nuestra propia experiencia. Hay situaciones, lugares y personas con las que nos encontramos perfectamente a gusto, de las que estamos dispuestos a recibir todo cuanto nos ofrecen, a las que podemos responder y reaccionar y con las que podemos relacionarnos con plena confianza. Son ésas las circunstancias de nuestra vida diaria, entre las que nos movemos con familiaridad y facilidad. Según se nos van presentando situaciones menos habituales, nos vamos haciendo más cautos y emplazando nuestras defensas. En presencia de personas desconocidas o de ambientes nuevos, pronto nos entran dudas, sospechas y miedos. Cuanto más nos acercamos a los límites de lo conocido, más temor sentimos y más precauciones adoptamos. Y si llegamos a estar muy cerca del lindero, nos llevamos un verdadero susto y tratamos de volver lo antes posible a la seguridad de nuestro entorno diario. Las fronteras del miedo marcan a fuego el territorio en que nos hallamos en paz y operamos con tranquilidad.

Todos los animales tienen sus territorios. En la selva o en los campos, en las calles de la ciudad o en el cielo abierto, grupos o parejas de animales marcan sus fronteras con exactitud cartográfica, y se mantienen dentro de ellas en sus correrías y cacerías, a la vez que rechazan enérgicamente a los intrusos y defienden su territorio. Para nosotros, los humanos, esas fronteras de los animales resultan invisibles, pero los animales las reconocen perfectamente y saben muy bien el peligro que conlleva el atravesarlas sin permiso. Los carabineros están siempre a punto. Hay algunas especies que marcan dichas fronteras con señales olfativas, como hacen los conejos con sus excrementos, o los rinocerontes con su orina. El león marca sus dominios con la majestad de su presencia y el anuncio de su rugido. En cualquier caso, la frontera queda bien demarcada y es públicamente respetada.

Hay una pareja de lagartos que, junto con las ardillas que ya mencioné, comparten mi habitación conmigo en feliz vecindad. Como nuestras costumbres y nuestro alimento son diferentes, no nos estorbamos unos a otros y no somos rivales. Mientras esa pareja de lagartos ocupe mi habitación, no habrá ningún otro lagarto que pueda entrar; y si alguno se asoma, mis inquilinos lo harán desaparecer inmediatamente por la ventana con tanta furia como eficacia. Pero he observado que, cuando mis huéspedes desaparecen, por muerte o por cambio de domicilio, viene inmediatamente otro par de lagartos a ocupar mi habitación. Parece haber una especie de agencia que informa a los lagartos en lista de espera en cuanto hay un apartamento libre, y se lo adjudica al mejor cliente. Mi cuarto nunca está sin una pareja de lagartos, y nunca con más de una. Los territorios quedan bien marcados y bien respetados. Y estoy seguro de que los lagartos se consideran los dueños de mi habitación, y que a mí me tienen como inquilino.

Tuve otra aventura territorial con animales, esta vez no sin su ligero peligro y evidente molestia. Estaba yo un día paseando con mis pensamientos en la terraza de nuestro edificio cuando, de pronto, las agudas garras de un halcón en picado me hirieron en la cabeza por detrás, sin previo aviso. Me hizo sangrar antes de que yo pudiera espantarlo con protesta indignada, que le hizo remontarse otra vez y alejarse de mí. Me dejó medio herido y medio confuso. ¿Qué había pasado? Yo no había hecho nada que pudiera ofenderlo. ¿Por qué, pues, me atacaba? Pronto lo averigüé: el halcón se había instalado hacía poco en nuestra vecindad, había hecho su nido en un árbol junto a nuestra terraza y estaba incubando sus polluelos. Eso le hacía sospechar de cualquier figura cercana, y mi presencia en la terraza de al lado era una amenaza para su familia. Cuestión de territorio, una vez más. Yo no alcancé a notar los límites marcados en el aire por las aves vecinas, me había colado sin saberlo en el territorio extranjero y había pagado por ello. Y yo no tenía manera de hacerle saber al halcón que una parte, al menos, de la terraza era mía. No llegué a aprender su lenguaje de chillidos agudos. Lo que sí aprendí fue a vigilar mi cabeza por detrás al pasear en la terraza. No volvió a sorprenderme.

Nosotros, los humanos, también tenemos nuestros territorios, más sutiles, pero tan claros y definidos como las parcelas de terreno y los espacios del aire. Nuestro territorio no son sólo locales y personas, sino, con mucha mayor individualidad e importancia, ideas y principios y modelos de conducta. Nos encontramos a gusto mientras permanecemos dentro de cierto campo de conceptos y valores, de maneras de entender la vida y dirigir la conducta. Hablamos libremente con gente cuya mentalidad y creencias son más o menos las mismas que las nuestras, y seguimos pensando de la misma manera que hemos pensado siempre, con alguna variante de vez en cuando para distraernos un poco, pero sin ningún cambio fundamental. Si encontramos ideas nuevas, conceptos poco familiares, planes atrevidos de vida y sociedad y religión y moral, instintivamente nos ponemos en guardia, levantamos los escudos y endurecemos nuestra actitud. Peligro. Terreno desconocido. Ten cuidado. Evita la invasión. Date la vuelta. Seguridad ante todo... Y nos retiramos a nuestro territorio de siempre para seguir pensando las ideas de siempre de la manera de siempre. Se acabó la aventura.

De eso precisamente se trata. La luz roja del peligro se encendió cuando nos acercábamos al límite de nuestro mapa mental. Si queremos permanecer para siempre en los terrenos que nos son familiares, todo lo que tenemos que hacer es dar media vuelta y volver al nido. En cambio, si nos animamos a explorar nuevas tierras en las aventuras inéditas de la mente, esa luz roja nos puede ser de mucha utilidad. El miedo había marcado el final de nuestra propiedad privada... y, por consiguiente, el principio de continentes vírgenes que aún nos quedan por explorar. Los vientos del miedo marcan los vectores del avance. Si queremos crecer en espíritu, en coraje, en entendimiento y en fe, podemos consultar nuestros miedos y observar la dirección que indican. Sus indicaciones nos abren el mundo para conquistarlo. Casi se puede decir —con sentido común siempre y con sentido de responsabilidad, pero también con alegría y confianza—: «Si tienes miedo de hacerlo..., ¡hazlo!». Por ahí se avanza en la vida.

Nuestros miedos nos han descubierto nuestros puntos flacos, nuestras deficiencias, nuestros defectos; y así, para mejorar nuestro carácter, abrir el futuro y ensanchar nuestras fronteras, les agradecemos a nuestros miedos la información que nos han dado y ponemos mano al trabajo saliendo a explorar esas mismas tierras que ellos nos cerraban. La información es lo más valioso que hay, y nuestros miedos nos la dan a pesar suyo. Por eso el estudio de nuestros miedos es importante para nuestro desarrollo como personas. Las fronteras del miedo son el reto para el crecimiento. Para adquirir nuevos territorios podemos consultar a nuestros miedos y descubrir a través suyo los paisajes que pretenden ocultarnos. Entonces nos animamos a hollar terrenos nuevos, hasta que otra frontera nos detenga... en espera de lograr más información y más fuerzas para rebasar más tarde esa nueva frontera en el descubrimiento sin fin que es la vida.

En la India todavía celebramos cada año una antigua fiesta que se llama «El romper de las fronteras» (en sánscrito, *simollanghan*). Es la fiesta de *Dassera,* el «décimo día» después de *Navratri,* es decir, las «nueve noches» que todas nuestras muchachas se pasan bailando incansables alrededor de la imagen de la Madre Tierra, con una alegría y una vitalidad tales que no sólo representan, sino que hacen realidad ante nuestros ojos el lugar de la mujer en la creación como centro de energía y fuente de vida en la fertilidad del universo. No he visto nada que se asemeje a la velocidad, el ritmo, el colorido y el aguante de esas muchachas en ese rito, que es arte y es liturgia, noche tras noche, en santuario eterno de juventud y belleza. (¿Cómo puedo castigar a una chica que se duerme en mi clase de matemáticas, cuando sé que estuvo bailando toda la noche pasada y que volverá a necesitar todas sus energías para bailar otra vez esta noche en el festival sagrado en que ella es sacerdotisa por derecho propio?). Cuando acaban las danzas y se rinde culto a la naturaleza, nos encontramos ya dispuestos a recordar y entender el rito ancestral que dio nombre a la fiesta y sentido a su mensaje. Esta segunda parte del rito ya no tiene lugar hoy en día, pero su memoria pervive desde los tiempos en que había reyes en tierras de la India, y cada uno luchaba por ensanchar los límites de su reino, y sus hombres y caballos se aprestaban a librar las batallas en los confines del reino. Paso a describir la ceremonia tal como se llevaba a cabo en aquellos tiempos, y después intentaré descubrir su significado permanente, más allá de reyes y batallas y caballos. El festival de las fronteras sigue teniendo sentido vivo en el mundo de hoy.

Era una fiesta de otoño, y su posición estratégica en el curso de las estaciones le daba su carácter especial y resaltaba su importancia. La estación de las lluvias había pasado, se había recogido la cosecha, y aún no había llegado el frío del invierno. Ya no había trabajo en los campos, los hombres habían vuelto a casa, y el rey de la región podía aprovecharse de su obligado ocio para alistarlos en su ejército durante los meses que transcurrieran hasta la siguiente sementera. Con eso formaba un buen ejército, a cuya cabeza se ponía el propio rey, que quería ensanchar sus dominios y conquistar tierras nuevas para alcanzar mayor prosperidad para su pueblo y poder para sí. ¿Cómo iba a escoger los territorios que iba a invadir, la dirección en que su ejército debía avanzar? Aquí viene lo interesante. Él no escogía por sí mismo, sino que dejaba que los dioses le indicaran la dirección ideal a través de la muda cooperación del animal que era símbolo de poder y conquista: el caballo.

Escogían el mejor caballo de los establos reales, lo presentaban ante el pueblo, y luego lo dejaban suelto para que se pasease por donde quisiese. Adonde fuera el caballo, allá le seguía el ejército entero; y tierra que pisara el caballo, tierra que se anexionaba al reino. Si otro ejército venía a defender dicha tierra, el ejército del caballo lucharía por defender su símbolo sagrado y su derecho a conquistar la tierra. Así continuaba el caballo su real paseo a lo largo de los meses de lucha, con el ejército detras de él para ganar batallas y conquistar tierras. Las lluvias, otra vez, marcaban el final de la campaña, el ejército volvía a sus lares, los hombres se reintegraban a las labores del campo, las nuevas fronteras se consolidaban, y el héroe inconsciente de aquella expansión política, el caballo real, era agasajado y honrado con gran regocijo por el pueblo entero. Pero los honores no duraban mucho: al cabo del año, antes de escoger un caballo nuevo para la siguiente campaña guerrera, el caballo anterior era venerado por última vez, y luego sacrificado para devolver a los dioses, en el gesto primitivo de amor que mata, el don que de ellos había venido. El rito se llamaba, en consecuencia, *ashwamedha,* o «el sacrificio del caballo».

Hoy, naturalmente, no hay caballo ni sacrificio, no hay batallas sangrientas ni cambio de fronteras, cuando el país está unido y los reyes han perdido sus coronas; y me pregunto, al leer los libros antiguos y tomar parte en el festival moderno, cuántos conocen hoy el significado de estos días y el reto de estas ceremonias. Y veo en ellos un nuevo sentido que va más allá de la conquista material de territorios y que llega a las batallas íntimas del espíritu, al romper de fronteras de mentalidad y costumbres, y al lanzarse a la conquista de nuevos ideales y sueños y realidades para hacer verdad en nuestras vidas lo que aún está más allá de nosotros, pero que puede ser parte de nuestra tierra, que es nuestra alma y nuestra vida, si seguimos nuestros instintos auténticos, avanzamos con valor y alegría y hacemos nuestros nuevos modos de pensar y nuevas fórmulas de vivir. Dejemos libre al caballo, dejemos que nuestra imaginación se pasee por donde quiera, dejemos que el instinto creativo que llevamos dentro surja y se imponga sin trabas ni obstáculos y señale las direcciones que quiera a través de campos y praderas, para darnos nuevas perspectivas y nuevos reinos que conquistar con el empuje de nuestro valor y la firmeza de nuestra fe.

Ésa es la conquista del miedo: ensanchar las fronteras, abrir espacios nuevos para el pensamiento y el amor y la vida. Y el fondo y raíz de este festival de nuestras almas es el conocimiento de nuestros miedos, la conciencia de nuestra debilidad, el descubrimiento de nuestras limitaciones. Conocimiento que nos libera, nos enseña el camino por el que avanzar y nos empuja hacia él con alegre confianza. Vamos a celebrar cada año el festival de las fronteras nuevas.

El miedo al éxito

Las fronteras del miedo apuntan a los horizontes del desarrollo. No es extraño, en consecuencia, que un miedo fundamental que nos ciega la visión y nos corta el paso sea precisamente el miedo a tener éxito. Es paradójico, es irracional..., pero es cierto. Tenemos miedo a que nos salgan bien las cosas; un miedo que, a pesar de marcar claramente la dirección del progreso, nos impide explorar tierras desconocidas que nos llevarían hacia nuestra meta.

¿Por qué hemos de tener miedo al éxito? La mayoría de la gente no tiene conciencia de tales miedos, y los negaría si se le mencionasen. ¿Miedo al éxito? ¿Por qué? Lo que todos tememos no es el éxito, sino el fracaso. Todos deseamos el éxito como una necesidad social, psicológica y económica. Nadie tiene miedo a pasar un examen; lo que sí temen muchos es suspenderlo. Nadie tiene miedo a conseguir un empleo, mientras que son muchos los que temen perder el que ya tienen. El éxito es siempre bienvenido, y es sólo el fracaso lo que tememos. Ésa es la experiencia universal de todo el mundo.

Así es, pero sólo en la superficie. Por allá abajo, las cosas cambian. Un estudiante no se presenta al examen que le tocaba dar; un aspirante renuncia a un empleo después de haberse presentado a él; un escritor se guarda un manuscrito listo para su publicación y lo retiene indefinidamente; un pintor no acaba su obra maestra... ¿Miedo? Sí. ¿A qué? No precisamente a suspender el examen o a que el libro o el cuadro no agraden a los críticos, sino, con frecuencia, miedo a todo lo contrario, es decir, a conseguir el título, lograr el éxito y alcanzar la fama. Ése puede muy bien ser el muro que allá abajo, en las galerías del subconsciente, cierre el paso al éxito. El estudiante puede pensar que no merece el título, y el artista puede temer que la reputación repentina arrojará una carga imposible sobre sus hombros. ¿Por qué Brahms guardó veinte años su primera sinfonía sin publicarla? ¿Por qué George Cantor esperó otros tantos años antes de dar a conocer su teoría de los números transfinitos? Tenían miedo a la fama, se acobardaban ante el momento de gloria, retrasaban el triunfo inevitable que iba a exigirles mucho más en adelante. De hecho, aunque Brahms aún escribió tres sinfonías más, Cantor no hizo ninguna otra contribución sustancial a las matemáticas, fuera de sus números transfinitos, que descubrió en su juventud e hizo públicos bien avanzada su madurez. El miedo al éxito no les permitía publicar sus ideas maestras.

El joven o la joven pueden con frecuencia sentir que no merecen triunfar. Puede ser el mandamiento oculto de que no sean más exitosos que sus padres; el secreto autocastigo por haber odiado a sus padres o a sus hermanos y hermanas; la venganza inconsciente contra sus padres por imposiciones y durezas reales o imaginadas, y ahora castigadas privándoles del fruto de sus esperanzas al constituirse él o ella en un fracaso... Maquinaciones secretas de culpabilidad no confesada, retorcidas donde las haya, pero no del todo irreales o improbables.

He aquí a una muchacha que podría reclamar el éxito en cualquier terreno y que, sin embargo, cuando me la encuentro, observo que va mal vestida, que ha engordado, y encima me dice que no piensa acabar sus estudios. ¿Qué ha ocurrido? Explicaciones poco convincentes que escucho sin creer, y realidades más profundas que adivino sin decir. En años anteriores había sentido envidia hacia su hermana pequeña, que al nacer le quitó su lugar de privilegio en el hogar, y esa envidia y ese resentimiento la hicieron sentirse culpable más adelante, cuando reflexionó sobre su actitud y se avergonzó de su bajeza. Ahora este complejo de culpabilidad no le permite tener más éxito que su hermana menor, y aunque tenga más talento y belleza, no estudiará más ni buscará un buen partido. Su conciencia culpable no le permite subir más. Destacar más sería traicionar a la familia, y eso no se lo puede permitir. Por eso teme el éxito y lo rechaza decididamente.

Tales son los extraños pero reales desvaríos de la mente humana. En este caso, los mismos extremos a que había llegado dejaban en claro su actuación; pero, sin llegar tan lejos, todos podemos encontrarnos en parecidos apuros, si no tan evidentes, sí al menos tan dañinos para nuestro bienestar y salud mental. El temor a no ser dignos nos puede retraer de la acción y el progreso, y puede incluso hacernos retroceder cuando nos acercamos al éxito, para no permitirnos alcanzarlo.

También hay un cierto punto de vista, no del todo ajeno a nuestra formación, que nos presenta la virtud como el camino de la humillación y el sufrimiento y, en consecuencia, nos hace sentirnos equivocados y culpables cuando cortejamos el éxito, y nos lleva a evitarlo consciente o inconscientemente. Si el poder de Dios obra en nosotros a través de la debilidad humana, ¿cómo podemos desear el éxito y buscar el triunfo? Vivimos entonces en nuestro interior una contradicción entre el deseo natural de trabajar y conseguir resultados positivos y el escrúpulo de aceptar la victoria cuando llega. La tensión, por injustificada que en realidad sea, puede ser muy real y causarnos daño.

El miedo al éxito viene de las obligaciones que el éxito impone a la persona que lo logra. Si un estudiante saca el número uno en un examen, queda marcado para siempre, y sus padres, parientes, amigos y conocidos esperarán de él que vuelva a ser el primero en el siguiente examen y siga así hasta el final de la carrera. Lo ha hecho una vez, y al hacerlo ha demostrado que puede hacerlo. ¿Por qué, entonces, no ha de seguir haciéndolo? Tiene talento; de lo contrario, no lo hubiera conseguido esa vez. Y el talento no se pierde, por lo que no hay razón para que no vuelva a ser el primero, a no ser que se vuelva perezoso y negligente. Quien lo ha logrado una vez, puede lograrlo siempre. El subconsciente del estudiante, que sabe esto perfectamente cuando va a dar el primer examen, tratará de evitar la responsabilidad permanente fallando en el primer intento. Fracasa y, de ese modo, escapa al peso opresor del éxito.

Todo escritor sabe lo que es «el atasco de la pluma». No es sólo que la mente quede en blanco, sin ideas ni palabras, sino que las mismas manos se niegan a moverse, los dedos se hielan, y resulta físicamente imposible escribir, no ya una línea, sino una sola palabra. El cuerpo no responde. No se trata de mayor o menor inspiración, de ratos aburridos o ratos deliciosos, de velocidad creativa o de pausas de respiro. Este atasco va mucho más lejos y acaba con todas las posibilidades de escribir una sola letra sobre el papel en blanco o, en un escritor moderno, en la pantalla del ordenador personal. Una de las causas del célebre atasco puede muy bien ser el miedo a crear una obra maestra y causar sensación. Es fácil imaginar el problema del escritor que acaba de conseguir un gran éxito editorial con su primer libro y se pone a pensar qué va a hacer a continuación. No puede quedarse donde está. Tiene que seguir escribiendo; tiene que publicar otro libro, qué habrá de medirse inevitablemente con el primero, y no será fácil que llegue a su altura, cosa que los lectores y los críticos notarán enseguida y no dejarán de echarle en cara. Y entonces vienen la presión y la tensión. ¿Cómo escribir otra obra maestra? ¿Cómo mantener la aprobación de los críticos? ¿Se habrá apagado mi inspiración? ¿Dónde están mi creatividad, mi imaginación, mi capacidad descriptiva? Si lo hice una vez, ¿por qué no una segunda? Yo soy el mismo, como mi pluma y mi papel y mi máquina de escribir o mi ordenador personal son los mismos; ¿por qué, pues, no puedo volver a sacudirme y calentarme y recobrar la inspiración y volver a escribir, una vez más, algo que haga época y mantenga mi nombre en cabeza de la lista de autores más leídos? ¿Qué me falta? ¿Qué me pasa? ¿He caído por fin, sin remedio, en la mediocridad, o me quedan aún esperanzas de escalar nuevas cumbres y lograr nuevos éxitos? ¿Y hasta cuándo ha de durar esta lucha conmigo mismo, con mis ideales, con mis logros y con mis frustraciones? ¿No sería mejor dejarlo todo antes de meterse en esa espiral maldita de triunfos que exigen más triunfos y que, cuanto más subes, más te amenaza con hacerte caer? El éxito se paga caro en todos los terrenos.

El triunfo produce entusiasmo al principio y esclavitud al final. Y el miedo a esa pesadilla puede anidar secretamente en la mente al comenzar la acción, y sabotearla para evitar sus consecuencias internas. Cuando nos encontramos con actitudes derrotistas, con frecuencia podemos detectar tras ellas el miedo al éxito. El escritor A.J. Cronin echó por las buenas a la papelera el manuscrito entero de su primera novela, *The Citadel,* que después fue rescatado, impreso, publicado, obtuvo un enorme éxito como novela y como serie de televisión e hizo que su autor, de médico desconocido, se convirtiera en uno de los más famosos escritores de su tiempo. ¿A qué venía la papelera? El miedo aparente era a que ningún editor aceptaría la novela; pero eso podía verificarse con toda facilidad con sólo enviarles el manuscrito, cosa que aún no había hecho. Únicamente su mujer sabía que él había escrito una novela. El miedo real era a que la novela bien podría resultar un éxito y sacarlo de la vida segura y tranquila que llevaba como médico para arrojarlo al revuelto mundo de escritores, lectores y editores... Menos mal que la papelera aguantó, y se salvó el manuscrito.

Ésa es la batalla entre la mediocridad y la excelencia, entre los bastidores y las candilejas, entre la seguridad y el riesgo. La aventura merece la pena, pero hay muchos complejos dentro de nosotros que nos hacen acobardarnos ante la excursión inédita y boicotearla antes de que comience, aun sin caer en la cuenta de lo que estamos haciendo. Nuestra innata inercia nos lleva a evitar las tensiones de una carrera de logros, y así no nos deja entrar en ella. Miedo efectivo que atenaza la vida.

El perfeccionismo en todos sus aspectos es una clara manifestación del miedo al éxito. No hay borrador que valga, no hay plan que satisfaga, no hay preparación que parezca suficiente. Y el trabajo no se hace, en espera de hacerlo mejor. Eso es, al menos, lo que aparece en la superficie. Por dentro, la historia es diferente. El trabajo estaba bien preparado y podía salir perfectamente bien, demasiado bien, de hecho; y eso es lo que frena la actividad, al temer, una vez más, que el listón va a quedar demasiado alto como para poder superarlo después. Eso es lo que, en secreto, preocupa a la mente, y por eso ésta da largas y evita compromisos. Se amontonan borradores con la oscura esperanza de que no llegue a aceptarse ninguno; y al no presentarse a tiempo esta vez, se libra uno de tener que hacerlo la siguiente. Escapar a tiempo para evitar tensiones futuras; y, como el escape no es digno, se disfraza con la apariencia de perfeccionismo. Es más fácil decir «soy un perfeccionista» que «soy un cobarde», y el vil disimulo favorece la fuga. Mientras yo no esté satisfecho de mi propio trabajo, no pienso entregarlo; y como nunca voy a estar satisfecho, no lo entregaré nunca, y me quedaré solo y apartado en la esterilidad de mi propio miedo. Yo no puedo aceptar más que lo mejor; y como lo mejor nunca se logra, puedo descansar seguro y tranquilo lejos de toda competencia. El precio del éxito es alto, y al pensar en sus consecuencias podemos instintivamente cerrar la puerta a un éxito que es al mismo tiempo deseado y temido. El hecho es que tememos tanto el éxito como el fracaso; la diferencia está en que el miedo al fracaso es patente, mientras que el miedo al éxito permanece oculto, y por eso mismo puede hacer más daño. Nos interesa sacarlo de las sombras para abordarlo de frente.

Iris Murdoch basa su larga novela *The Book and the Brotherhood* en el miedo psicológico —que no es tan raro como parece— de que al lograr el éxito se acabará la vida. Un grupo de amigos intelectuales le han encargado a uno de ellos que escriba un libro sobre teoría política, un libro que todos ellos creen ejercerá una gran influencia entre el público entendido y contribuirá a cambiar y mejorar el panorama político del país y del mundo entero. «El libro que nuestro tiempo necesita». Un libro que será un análisis filosófico y un programa de acción «sobre todo menos Aristóteles». El mismo escritor, David Crimmond, lo llama «un libro muy importante», y le dedica todo su tiempo y energía a lo largo de varios años. Él no tiene dinero, pero sus amigos financian generosamente el proyecto para que él pueda dedicarse a la tarea de pensar y escribir sin preocupaciones de ningún tipo. Sin embargo, van pasando los años, y el libro no sale, con lo cual los miembros del comité de finanzas comienzan a ponerse nerviosos, y algunos llegan a dudar de las intenciones de Crimmond: ¿no será que está dando largas al asunto para seguir consiguiendo las subvenciones que bien sabe cesarán en cuanto esté concluido el libro?

Crimmond le revela a Jean la verdadera razón: «Cuando acabe el libro, yo cesaré de existir». Y, en consecuencia, «quizá el libro no llegue a acabarse nunca». El libro era su trabajo, su obra maestra, su vida. Una vez que se acabe el libro, se acabará la vida; no quedará nada más digno de hacerse, por lo merezca la pena vivir. Miedo irracional pero real de un hombre de gran talento... y también de gran complejidad, que identifica su misión con su vida y teme su extinción cuando acabe su labor.

El comité exige resultados concretos, y el libro se publica. Aun los críticos tienen que admitir que es una obra extraordinaria. «Algunos la odiarán, otros la adorarán.

En cualquier caso, se leerá mucho, se discutirá mucho y tendrá una gran influencia». Tales juicios marcan la cumbre del miedo al éxito que sentía Crimmond, el cual hace un pacto de suicidio con Jean: cada uno conducirá su coche a toda velocidad hasta chocar de frente, a media noche, en la «carretera romana». Ensayan la tragedia, pero ésta acaba fallando, porque en el último momento Jean desvía su coche. Entonces Crimmond trama un duelo a pistola con el marido de Jean, pero tampoco consigue que lo maten. Al acabar la novela, Crimmond se encuentra aprendiendo árabe... para escribir otro libro. A fin de cuentas, la vida sigue.

Tráfico en hora punta

Una religiosa me confesó una vez que tenía miedo al tráfico. Miedo a los coches en la calle y en la carretera. No es extraño, si consideramos la velocidad de nuestros coches y el estado de nuestras carreteras. Pero en ella se trataba de una verdadera fobia. Para ella era un problema cruzar la calle aun con luz verde, y aventurarse a atravesar un paso de cebra sin semáforo era una agonía. Algo había en su mente disfrazado de miedo al tráfico. Resultó que no era sino miedo a la gente. Temía la compañía, temía el diálogo, temía cualquier clase de encuentro, temía vivir en grupo... Penosa situación para quien había escogido vivir en comunidad. Sin llegar a tales extremos, este miedo a la gente no es raro y constituye un gran obstáculo para el crecimiento personal. Nos interesa descubrirlo lo antes posible.

El miedo a la gente es, a fin de cuentas, miedo a ser rechazado. La persona valora su propia dignidad, y la prueba suprema es verse aceptado como persona... o verse rechazado. El amor es la gran aventura de la vida y, por consiguiente, conlleva el mayor riesgo. Es el riesgo de presentarse ante otra persona en inocencia indefensa, de abrirse sin reserva, de entregar la vida y esperar la respuesta. ¿Me quieres? La respuesta no está garantizada, y ahí está su valor. Con razón o sin ella, por instinto o por sentimiento, tras seria reflexión o por prejuicio irracional, la respuesta viene de persona a persona y consagra para siempre una amistad o separa dos vidas. Ésa es la inseguridad definitiva, ya que no hay justificación, no hay argumentos, no hay apelación; y lo que está en cuestión no son mis logros o mis habilidades, mis resultados o mis éxitos, sino yo mismo como persona, como ser humano, como amigo. Ser rechazado es la condenación final. No es extraño que para evitar esa negra posibilidad tendamos a inhibirnos, a retraernos y a buscar la soledad. Pero el precio de la soledad es aún mayor que el dolor del rechazo.

Hay personas que han escogido vivir en grupo y, sin embargo, se mantienen alejadas de todos, no se acercan a nadie y no permiten que nadie se acerque a ellas. Tales personas son a menudo perfectas damas o caballeros de exquisitos modales y atenciones delicadas. Nunca molestarán a nadie... para que nadie les moleste a ellas. Nunca olvidarán un cumpleaños ni se les pasará un aniversario. Siempre usarán la frase correcta y medirán la sonrisa exacta. Sus mismos modales son un escudo con el que se protegen de todo intento de intimidad. «Quédate donde estás. Sonríe cuando yo sonrío. Da la respuesta correcta a mi correcto saludo. Gradúa tu sonrisa de acuerdo con la mía. Y, por amor de Dios, no te me acerques más de lo que yo te permito. No acortes la distancia. Mi apretón de manos te está señalando la distancia a la que tienes que quedarte. No cruces esa línea. Vive tu vida, y yo viviré la mía, y todo irá bien; pero no se te ocurra mezclar tu vida con la mía en modo alguno. Ya me las arreglo yo solo»...

Hay quienes viven así. Prefieren la esterilidad afectiva a la inseguridad emocional. No saben lo que se pierden. Es en este terreno donde más urge romper las fronteras del miedo para avanzar y crecer. Desarrollamos nuestras mentes con el estudio, y nuestros cuerpos con el ejercicio; pero, si no ejercemos también nuestra afectividad, ésta quedará irremediablemente atrofiada. Y la afectividad se ejerce mediante la amistad y el amor, que hacen que florezca lo mejor que llevamos dentro de nosotros en la plenitud de nuestra humanidad. Si la flor tuviera miedo a los vientos, a los insectos y a la mano que puede arrancarla por placer o por descuido, nunca abriría sus pétalos, aunque el sol tratara de persuadirla con su calor; es decir, nunca llegaría a ser una flor. Para ser flor tiene que abrirse, y así su perfume y su color animarán los caminos de la vida. El castigo del miedo es la esterilidad. Se acabó el jardín. Es verdad que el abrirse es un riesgo; pero sin riesgo no hay vida. La flor se deja convencer, emprende la gran aventura de su vida, y el mundo se alegra con su presencia.

En la cultura injustamente masculina que hemos heredado, es el hombre quien normalmente se declara y pide la mano de la mujer, y no al revés. Tal proposición siempre conlleva riesgo, ya que la respuesta puede ser negativa, y el pretendiente puede verse desairado, con la dura tarea de amansar sus propios sentimientos y aceptar su fracaso ante parientes y amigos. Quizá este riesgo inherente al declararse fue lo que hizo que se le encomendara la tarea a quien se tenía por el miembro fuerte de la especie. Que se aventure el hombre y aguante la sacudida, si es que se produce. La mujer queda protegida, ya que siempre puede decir que no y esperar a otro. Postura más segura, pero no exenta de dificultades, como pude comprobar en el caso de una muchacha a la que yo conocía bastante bien.

Estaba muy enamorada de un joven, pero no conseguía reunir fuerzas para preguntarle directamente si él quería casarse con ella, cosa que la chica no debe preguntarle al chico, y mucho menos en la India, donde los matrimonios los arreglan los padres. El chico tampoco decía nada, y el peligroso juego de dar por supuestas las cosas se estaba jugando con gran peligro por ambas partes. Se lo dije a la chica, pero ella me dijo categóricamente que no podía hacer absolutamente nada más. No tenía más garantía que lo que le decía su propio corazón. Muy hermoso, pero muy peligroso. Al cabo de un tiempo recibió por correo una participación de boda. El nombre de la novia le era desconocido, pero el del novio le era bien conocido: el chico con quien ella había esperado casarse. No se atrevió a hablar a tiempo, cuando de común acuerdo podrían haber pedido la bendición de sus padres y ser felices. Y ahora era ya demasiado tarde...

La historia tiene un final triste. La chica nunca se casó. La habían herido una vez de joven en lo más vulnerable de su ser, y no estaba dispuesta a que volvieran a herirla. Se quedó sola, alejada de cualquier persona o situación que pudiera amenazar su irritada sensibilidad. No dejó que la herida se cerrara, para tener siempre presente que no debía permitir que volvieran a herirla. Se había cerrado al primer contacto, como los pétalos de la *mimosa pudica*, y ya no volvió a abrirse. Una vida marchita ante el miedo a la misma existencia.

Otra forma de este mismo miedo a resultar herido, que ocasiona también un repliegue afectivo, es la negativa a que los demás se enteren de cosas que uno desea mantener ocultas, para lo cual se erige una serie de barreras protectoras que impiden todo acercamiento. A fin de cuentas, es la falta de autoestima lo que le hace a la víctima creer que la gente la despreciará si la conoce tal como es. El miedo es infundado, pero, desgraciadamente, sus efectos son reales y fatales. Una vez pregunté a un joven universitario: «¿Quienes son tus amigos?», Él bajó los ojos y guardó silencio. No tenía a nadie a quien pudiera llamar amigo, y él lo sabía. La razón era delicadamente dolorosa, y había que tratarla con gran cuidado. Era hijo único, sus padres se habían separado (en una sociedad en que la separación estaba mal vista), y vivía solo con su madre. Si hacía amistades, sus amigos irían a su casa, harían preguntas y, al final, descubrirían la verdad, que para él era causa de vergüenza y sufrimiento. Para evitarse tal humillación, mantenía a todos alejados y vivía aislado. Aún no había caído en la cuenta del altísimo precio que estaba pagando por tan frágil y transitoria seguridad. Sus compañeros de estudio y de trabajo acabarían por enterarse de su situación y de sus ansias por ocultarla, y eso no haría más que empeorarla. No habría ganado nada con su actitud negativa y defensiva.

Es mucho más sano, por más que resulte difícil, que el joven que vive la penosa separación de sus padres entienda que no tiene nada que ocultar, que él no tiene la culpa de nada, que puede hacer amistades e invitarlas a su casa; al final verá cómo es aceptado a pesar de sus problemas familiares y sus debilidades personales, y podrá vivir en relación abierta y confiada con todos. Mi autoestima ha de quedar intacta a pesar de todas las dificultades que yo y quienes me rodean experimentemos en la vida.

Es verdad que la gente en general y los jóvenes en particular pueden llegar a ser brutalmente crueles a la hora de criticar y juzgar la situación social de los demás. La sociedad se ceba con los que violan sus normas. Pero también es un hecho que, si la situación se expone con humildad y se admite con firmeza, las críticas se apagan, y la aprobación general no tarda en llegar. Y, en cualquier caso, no hay peor desgracia que la de condenarse de por vida al aislamiento total. No hay miedo que justifique una vida solitaria.

La verdadera convivencia se basa en el sentido de la distancia. Ni demasiado cerca ni demasiado lejos. Saber cuándo acercarse y cuándo alejarse; saber a quién se puede otorgar una confianza absoluta y a quién hay que tratar con cuidado para que no se tome demasiadas libertades... Dicen que en el toreo es vital el sentido de la distancia, el saber el sitio que le corresponde en cada momento a cada toro. Si se le mantiene demasiado lejos, el toro no embiste, y no hay faena; si el torero se le echa encima, no le da amplitud y vistosidad al embiste, y lo único que consigue es poner en peligro su vida junto a los pitones. Saber la distancia exacta en el momento exacto es el secreto del buen toreo. Cada toro tiene su distancia. No hay fórmula ni teoría que la defina, no hay ganadero ni mayoral que pueda predecirla antes de que el toro salte a la plaza. Es algo instintivo, casi visceral; una especie de sexto sentido por parte del torero. Y no es sólo que cada toro tenga su distancia, sino que ésta puede variar de un momento a otro de la lidia. Cambian las coordenadas a medida que cambia el talante. El animal se cansa, se enfurece, se divierte, se entrega... En unos breves minutos vive toda una vida y encuentra la muerte, y el aliento vivo de cada una de sus pisadas ha de ser captado por el torero con precisión vibrante para la faena perfecta. Se ve en los grandes momentos de las grandes faenas. El torero se acerca, se aleja, un paso más, medio paso ajustado...: ése es el sito exacto; ahí embiste el toro y aguanta el torero, y repite, y corrige, y cambia rápido, y facilita otro encuentro y otro y otro, hasta que se distancia súbitamente otra vez para dar distancia y reparar ánimos y crear expectativa y satisfacerla en la tanda siguiente con fervor distinto, porque el toro ya es distinto, y con él también lo es el torero y su arte. La faena acaba cuando la distancia se hace cero en el encuentro final de espada y carne. El toreo es el arte de la distancia y es imagen y escuela de la vida. Las personas, la sociedad, las circunstancias y los sucesos son como los toros; cada una tiene su distancia en su momento, y el arte de la vida está en conocerlas y respetarlas. Para salir por la puerta grande hay que guardar las distancias.

¡Cuidado con los toros, para que no nos cojan! ¡Cuidado con los coches, para que no nos atropellen! !Cuidado con las personas, para que no nos hieran!... Pero «cuidado» no significa aislamiento. El cuidado es la variabilidad sensible en su ajuste constante. Ni tan lejos que no se acerque nadie, ni tan cerca que nos ahoguen todos. El juego de la distancia, jugado en toda su alegría, entrega, peligro y satisfacción, es el juego mismo de la vida.

Duendes y fiebres

Al formular la regla práctica de que, con el debido equilibrio y sentido común, «si tienes miedo a hacerlo, hazlo»,
quedaba dicho implícitamente que, en la práctica, la mayor
parte de los miedos son puramente imaginarios. La sombra
que arrojan es más larga que su propia altura. Cuando nos
enfrentamos al miedo y le quitamos la careta, de ordinario
se queda en nada y nos deja con la sensación de habernos
deshecho de una pesada carga y con la lección, siempre
por aprender, de lo tontos que hemos sido al temblar ante
un peligro inexistente. La manera de aprender el valor es
desafiar al miedo.

Los jóvenes internos de nuestra residencia universi-
taria creen unánimemente en duendes. En sus aldeas, di-
seminadas por las zonas rurales de la India, han vivido
muy cerca de los duendes que residen en cada comarca,
con sus leyendas, sus historias, sus apariciones presencia-
das por todas las generaciones en fácil testimonio de cre-
dulidad miedosa. Cuando vienen a estudiar a la ciudad, se
traen consigo su familiar entorno mental, y pronto se pue-
bla de duendes toda la vecindad. En los terrenos de nuestra
universidad hay un viejo pozo abandonado que parece morada ideal para un duende amistoso; y, en efecto, los muchachos pronto declararon, con autoridad incontestada, que
allí habitaba un duende. Lo habían visto varios chicos por
la noche en diversos lugares, y nadie se atrevía a acercarse
al pozo en el que se escondía el duende durante el día. De

vez en cuando, arrojaban al pozo una nuez de coco y algunas monedas para aplacar al duende y mantenerlo a distancia sin que nos molestara. Yo no acababa de entender qué podía hacer un duende con un coco y unas monedas, hasta que, en cierta ocasión, vi cómo al día siguiente bajaban unos rapazuelos al pozo sin preocuparse, al parecer, por maldición alguna. Estaban de acuerdo con el duende y se aprovechaban del pacto. La dirección de la universidad temía que la presencia del duende llegara a las habitaciones de la residencia o a toda una ala del edificio, en cuyo caso ningún estudiante se prestaría a vivir allí. Pero había mucha demanda de habitaciones, y ello debió de mantener al duende alejado del edificio principal o, al menos, de la imaginación de los estudiantes. Los duendes siempre son razonables, por la cuenta que les trae...

Pregunté a un amigo hindú que andaba buscando esposo para su hija: «¿Le pedirás su horóscopo para ver si es compatible con el de tu hija y si, de ese modo, garantiza una unión feliz?». Me contestó: «Sí. Yo no creo en el horóscopo, porque no creo que la posición de los astros cuando nace la persona tenga nada que ver con su felicidad en el matrimonio; pero sé muy bien que, si el matrimonio no resulta, todo el mundo me echará a mí la culpa por no haberme asegurado primero de que los horóscopos encajaban, y por eso quiero asegurarme». Seguridad ante todo. Por si acaso. El miedo irracional que él mismo confiesa no tiene base alguna, pero se somete a él por la presión social o el escrúpulo personal. Otro amigo mío se negó a celebrar los ritos necesarios para aplacar a los espíritus del terreno en el que iba a edificar su nueva casa. Se hizo la casa y, al poco tiempo de ir a vivir en ella con su familia, su hija pequeña cayó de bruces en un charco cercano y se ahogó. El veredicto de todos sus vecinos fue unánime: había ofendido a los espíritus, y éstos se habían vengado. Él nunca lo creyó, pero el dolor por la pérdida de su hija se vio incrementado por la falta de comprensión de sus vecinos.

La magia negra es una fuente de miedo que una mentalidad occidental encuentra difícil de entender, pero que todavía hoy causa sufrimientos sin cuento a mucha gente en las más diversas latitudes. Fundamentalmente, se trata de la convicción de que otra persona me puede hacer daño llevando a cabo ciertos ritos o encantamientos sobre mi nombre, sobre mi fotografía o sobre una prenda mía de vestir, o simplemente mirándome con odio para transmitirme el mal de ojo. Muchos camiones en las carreteras de la India llevan en sus parachoques inscripciones contra el mal de ojo. Existe el temor a que cualquiera que vea un camión grande cargado de mercancías y a toda velocidad sobre el asfalto pueda sentir envidia, y que su mirada cargada de rabia pueda pinchar una rueda o causar un accidente. Previendo el peligro, el camionero escribe en la parte de atrás de su camión una frase que anulará el mal de ojo. La fórmula para contrarrestar el ataque visual del adversario toma una de estas dos formas: o bien es un conjuro contra la supuesta maldición («Si me tienes envidia, que se te ponga la cara negra», por ejemplo), o bien es una bendición que habrá de proteger como un escudo el camión («Si tu me maldices, yo te bendigo!», por ejemplo). Así es como los sufridos y heroicos camioneros se protegen a sí mismos y a sus camiones, en el laberinto de las carreteras indias, de la envidia humana.

Las mujeres indias llevan a cabo todas las mañanas un delicado ritual en el que la devoción y la belleza se combinan en sus limpias frentes con artística elegancia. Después de lavarse la cara y peinarse el pelo, se marcan el centro de la frente con un pequeño círculo rojo, como gesto final de su aseo personal al comenzar el día. Es una señal de buena suerte, un toque de belleza, un signo en la mujer casada de que su marido vive, un sello de protección contra los pensamientos que tras él se van a cruzar a lo largo del día, y una consagración del cuerpo entero a Dios en pública profesión de fe. Todo eso es y significa esa marca roja en las frentes femeninas. Lo que ni ellas mismas saben, aunque practiquen diariamente el rito mañanero, es que, en principio, la marca roja era un rito de protección contra el mal de ojo. Desde arriba, en medio de la frente, el círculo rojo protege a la mujer como el tercer ojo de Siva, desviando hacia sí toda mirada de envidia o de pasión y frenándola como un escudo, absorbiendo y amansando todo cuanto pudiera causar daño a la mujer fiel. Bella manera de proteger la belleza.

Las cenizas son sagradas en la India. Personas espirituales las distribuyen como vehículo de bendición, y despreciarlas podría atraer la ira de Dios sobre el incrédulo insensato. He aquí un pequeño incidente con cenizas, tal como lo cuenta Harindra Davé, poeta, novelista y editor de un diario de Bombay: «Tres amigos, Parmánand Kápadia, Ghanshyam Desai y yo, salíamos de una conferencia cuando vimos a un santón, un *sadhu,* vestido de color azafrán y rodeado de gente. No lo conocíamos, y Parmánand, que siempre quiere estar al tanto de toda persona interesante que pase por Bombay, se le acercó al instante, cruzó unas palabras con él, regresó junto a nosotros y nos dijo: 'Es un *sadhu* ambulante que va por ahí repartiendo a la gente cenizas sagradas como signo de la bendición de Dios'. Luego, abriendo su mano y enseñándonos lo que había en ella, prosiguió: 'Mirad: me ha dado este puñado de cenizas. Yo no creo en estas cosas; tomadlas si queréis, si vosotros o alguno en vuestra casa cree en ellas'. Y, mientras lo decía, depositó las cenizas en mi mano. A mí me pilló por sorpresa, y no supe qué hacer. Ghanshyam se apercibió de mi apuro, tomó las cenizas y las arrojó a un cubo de basura. Buena combinación de fe, superstición y miedo. Parmánand no creía en las cenizas, pero tenía miedo a que le pasara algo si las tiraba sin más, y me las pasó a mí. Yo creo en la religión, pero no podía ni tirar las cenizas ni guardármelas. Ganshyam no es ni devoto ni ateo, pero no tuvo escrúpulos en librarse de las cenizas de la manera más sencilla. ¡Y los tres éramos intelectuales sofisticados en una ciudad moderna!».

Otro escritor indio, Anil Yoshi, nos cuenta otra experiencia de cenizas y contrición: «Cuando yo era pequeño, hubo una feria en el pueblo, y yo estaba impaciente por ir a verla. Me marchaba ya de casa cuando mi madre me dijo: 'Antes de ir a la feria, enciende la lamparilla de aceite ante la imagen de Krishna. Ahí tienes las cerillas. Haz reverencia a la imagen, y luego vete'. Tomé la caja de cerillas a toda prisa, abrí el nicho en el que estaba la pequeña estatua, coloqué la lamparilla y la encendí. Con media reverencia y un salto entero, me planté en la calle y me fui a la feria. Era la feria anual que conmemora el nacimiento de Krishna, y tenía todo el día para disfrutarla. La lámpara que yo había encendido en casa era el rito diario que nos garantizaba la protección divina para todo el día, y ahora podía yo entregarme libremente al gozo de la fiesta deseada. Así lo hice, y regresé a casa por la noche, cansado como un globo desinflado. Al entrar en mi calle, noté algo raro en el ambiente. Llegué a casa, y todos estaban callados y tremendamente serios. En mitad del salón habían colocado un recipiente con leche, y dentro de él vi la imagen de Krishna. Lo entendí todo. Miré al nicho y vi que estaba chamuscado. En mi apresuramiento, no había colocado bien la lámpara recién encendida, y se había quemado todo. La corona de Krishna y su querida pluma de pavo real habían desaparecido, y la misma estatua estaba ennegrecida, y por eso la habían sumergido en leche, como piadoso gesto medicinal para curar las quemaduras en la carne de Dios. Y yo era el responsable. Cuando vi las cenizas, me sentí culpable, y aquella noche no pude dormir. Es sabido que a Krishna se le representa siempre con ka piel oscura; pero desde aquel infausto día yo siempre he creído que Krishna es oscuro porque yo lo quemé. Desde entonces he tenido miedo al fuego y a las cenizas».

Aprendí más cosas sobre miedos y magia en un viaje a África. Durante una visita a una fábrica en una capital africana, me volví a uno de los trabajadores y, con lo que para mí era un gesto de cortesía, le pregunté su nombre.

Él no contestó y miró a otro lado. En mi inocencia, yo pensé que tal vez aquel individuo no entendía el inglés; pero, al acabar la visita y quedarnos solos, el director de la fábrica me explicó mi metedura de pata: «Nunca le pregunte usted su nombre a nadie», me dijo, «porque, si él se lo dice, usted adquiere poder sobre él, ya que puede usar su nombre para causarle daño con ritos de magia». Recordé haber oído lo mismo acerca de los indios en América, y pensé que tampoco nosotros damos nuestro nombre y dirección a cualquier extraño, creamos o no en la magia negra.

Aprendí también en África que, cuando una enfermedad obliga a las sencillas gentes de las aldeas a acudir a un hospital de la ciudad, no suelen revelar su verdadero nombre y dirección, sino que dan un nombre y una dirección falsos. La razón es que la fiebre, una vez que ha sido expulsada del cuerpo del enfermo por la fuerza de las medicinas, podría enterarse de su nombre y dirección, ir a su pueblo, encontrar su casa y aferrarse a él con más violencia que antes. Por eso se inscriben en el hospital con nombre falso, para despistar a la fiebre y borrar huellas. Todas las precauciones son pocas.

Rudyard Kipling, conocedor profundo de las creencias y costumbres de los pueblos de la India, dejó constancia de prácticas parecidas entre ellos. Cuando el campesino trae a su hijo enfermo a Kim, le dice: «He andado caminos y pisado templos hasta destrozarme los pies, pero el niño no encuentra alivio. Le cambiamos de nombre cuando vino la fiebre. Lo vestimos de niña. No dejamos nada por hacer. He agotado mis recursos». He aquí, de nuevo, el mismo sistema de cambiar el nombre para engañar a la fiebre, y el truco aún más imaginativo de vestirlo de niña para completar el engaño. Ésos eran los remedios caseros ante la enfermedad, y todo se había intentado. Luego venían los votos a los dioses y las bendiciones de los monjes, pero sin resultado. Fue por fin Kim, «el amigo del mundo entero», quien, con su compasión oriental y sus conocimientos occidentales, puso fin a la malaria del niño con unas tabletas de quinina. Y el lama a quien servía lo alabó merecidamente: «Curar a los enfermos es acción meritoria. Has hecho bien, oh amigo del mundo entero».

Siempre ha sido muy humana la tendencia a divinizar lo que se teme. Los griegos divinizaron el rayo en las manos de Zeus y las tormentas en el tridente de Poseidón. La viruela era azote ancestral en la India, y se convirtió en una diosa, Shitala. Como curiosidad y paradoja, su nombre significa lo opuesto de lo que es en realidad. Los síntomas de la viruela son el calor que engendra en el cuerpo y las pústulas que marcan la piel con pequeños cráteres, mientras que Shitala quiere decir, «Refrescante». El frío para designar la fiebre, y una diosa para representar una enfermedad mortal. Uno de los triunfos de la ciencia moderna y de la educación popular ha sido la erradicación total de la viruela en la India. Pero los templos y las imágenes de la diosa de la viruela quedan todavía como testigos y recuerdo de la tendencia de la raza humana a sublimar sus miedos. Ya no adoramos a Zeus o a Shitala, pero seguimos a veces poniendo etiquetas religiosas a miedos humanos, y nos escapamos por las ramas de racionalizaciones sin fin, en lugar de enfrentarnos directamente a la amenaza y resolverla. Esas escaramuzas ocultan por algún tiempo el miedo, pero no curan el alma. Es mejor la quinina.

Albert Schweitzer, que conocía bien la extensión del miedo a la magia negra entre los pueblos con los que trabajaba en su hospital de Lambaréné, llegó a entender su misión como un intento de liberarlos del oscuro miedo de espíritus imaginarios. Así, escribió: «Además del miedo al veneno, existe el miedo al poder sobrenatural y maligno que un hombre puede poner en juego contra otro. Los indígenas creen que hay medios para adueñarse de fuerzas mágicas. El que posee un fetiche verdadero, lo puede todo: tiene suerte en la caza, se hace rico y puede acarrear la desdicha, la enfermedad e incluso la muerte a aquellos a los que quiere perjudicar. Un europeo nunca podrá comprender cuán horrible es la vida de esos pobres hombres que, día tras día, viven en el temor de los fetiches que pudieran ser empleados en su contra. El fetichismo es un producto del miedo en el hombre primitivo. Éste quiere hacerse con un hechizo capaz de protegerlo contra los espíritus malignos de los difuntos, de la naturaleza y del poder perverso de algunos de sus semejantes. Sólo el que haya visto de cerca esa miseria se dará cuenta de que es un deber de humanidad llevar a los pueblos primitivos nuevas ideas acerca de la vida y del mundo, para así librarlos de esas creencias absurdas que los atormentan».

Lo que Schweitzer no parece haber notado, al hablar de la miseria de hombres y mujeres primitivos y olvidarse de la miseria de hombres y mujeres civilizados, es que, aun sin el colorido de los miedos del aborigen de los bosques, también el ciudadano de la civilización occidental está lleno de miedos y supersticiones que oscurecen su mente y frustran su acción. Yo he dado ejemplos en este capítulo de miedos entre pueblos orientales, precisamente para hacer más fácil su entendimiento y aceptación al verlos como algo lejano y no amenazante para una mente occidental; pero esos ejemplos son sólo imágenes de las realidades que a todos nos acechan, nos amenazan y nos acobardan, aunque sea con nombres más civilizados y mayor refinamiento. Todos sufrimos de miedos sin nombre y de temores inconfesables. La selva nos circunda a todos con sus oscuridades y sus peligros. En cierta manera, el miedo al fetiche material es menos dañino, porque el objeto puede ser descrito, descubierto y desacreditado, y así el miedo puede ser desarmado; en cambio, el temor difuso que viene de complejos ocultos y de oscuras suposiciones, y que se infiltra en nosotros con clandestinidad anónima, es mucho más difícil de identificar y desenmascarar. Nuestros fetiches son más sutiles y, por consiguiente, mucho más peligrosos. Nuestra selva es más cerrada, y nuestros miedos más dañinos. Miedo a que otros nos dañen, cuando en realidad sólo nosotros podemos dañarnos a nosotros mismos; miedo a perder la buena opinión de los demás, cuando sabemos muy bien que esa opinión no merece la pena; miedo a enfermedades ocultas o ataques repentinos al corazón, que desde luego pueden ocurrir, pero que el miedo no va a evitar, sino que, por el contrario, puede acelerarlos. Miedos secretos, sospechas oscuras, temor irracional...: largas sombras que caen sobre nuestras vidas y a través de las cuales nos abrimos camino, sin saber lo que nos espera en el próximo recodo. El miedo a todo lo que nos rodea nos impide contemplar el paisaje y disfrutar del camino. Sólo una existencia sin miedo puede hacer justicia a la nobleza del nacimiento humano. Podemos ir aprendiendo a disminuir nuestros miedos por el sencillo método de enfrentarnos a ellos.

Uno de mis paseos favoritos, en la soledad sagrada del monte Abu, en Rajasthan, es el que lleva a las aguas vivas, transparentes, musicales, de Trevor Tal, el lago recogido, a gran altura entre picos escarpados, lejos de toda habitación humana, punto de cita de animales salvajes bajo la callada luna, testigo y cómplice de mis baños solitarios en un paraíso aún no perdido. Un día por la mañana, salí temprano hacia el lago, dejé atrás los últimos edificios de la ciudad, los templos, los campos que llevaban la marca de la presencia humana, y doblé a la izquierda para tomar la senda escarpada que tan bien conocía. Pero algo me detuvo. En mitad del único camino de subida estaba un soldado, armado hasta los dientes, con la bayoneta calada en su fusil armado, cuya culata apoyaba en el suelo mientras sus piernas abiertas cerraban el paso a cualquier intruso. Comprendí la situación. El ejército había ido a hacer maniobras por aquel lado de las montañas, y a los caminantes de paisano se les prohibía el paso como precaución elemental. Preferí evitar un encuentro con el ejército indio y di calladamente la vuelta. Trevor Tal puede esperar a otro día. No se moverá de su sitio. Y hay otros senderos por la montaña en otras direcciones que también llevan a bellos horizontes y escondidos retiros. Hoy tomaré cualquiera de ellos, y asunto concluido.

Estaba ya caminando en dirección opuesta, cuando me asaltó un pensamiento: ¿por qué no intentar llegar a Trevor Tal, a fin de cuentas? Nada se pierde con preguntar. El soldado está allí, es verdad, pero yo no le he preguntado. No es probable que me ensarte con su bayoneta si le pregunto con educación. Veamos. Volví sobre mis pasos, me acerqué a él y le pregunté sin rodeos: «¿Es éste el camino de Trevor Tal?». Para mi sorpresa, el soldado se cuadró al oír mi pregunta, juntó los talones, se llevó enérgicamente la mano derecha a la frente en saludo militar y dijo en tono de cuartel: «¡Sí, señor!». Después se hizo a un lado, me señaló el camino y volvió a saludarme militarmente cuando pasé a su lado. Yo le devolví el saludo, erguí mi figura y seguí adelante. Mis miedos no habían tenido fundamento alguno. Fuera lo que fuera lo que el soldado estaba haciendo en aquel sitio, no estaba allí para cortar el paso a paseantes inocentes. Llegué a Trevor Tal bajo protección armada, en una mañana sin mancha. A fin de cuentas, pensé mientras caminaba por el bosque, el ejército está para protegernos, no para asustarnos. ¿Y no sucede exactamente lo mismo con todos nuestros miedos imaginarios en los senderos de la vida? Que no nos estropeen el paseo.

Que suceda lo peor

Cuando no podemos enfrentarnos cara a cara con el objeto de nuestro miedo, siempre podemos hacerlo mentalmente. Cuando nos asalta el fantasma de algún desastre, puede resultar eficaz decirse tranquilamente a uno mismo: «Muy bien, eso es lo que va a pasar... ¿Y qué?». Estas dos últimas palabras pueden convertirse en una verdadera fórmula mágica, y esta vez no de magia negra, sino blanca como el velo de un hada madrina. «¿Y qué?». Una religiosa me confió una vez su secreto de paz y alegría, que irradiaba en todas partes, y que consistía en estas dos sencillas palabras: «¿Y qué?». Llevaba una vida bien agitada y tenía que hacer frente a crisis pequeñas y grandes casi cada día, con cargas que hubieran hundido a cualquiera. Su manera de salir de las crisis consistía en decirse a sí misma callada y directamente, cuando la catástrofe se echaba encima: «Sí, lo sé muy bien; sé lo peor que puede pasar, y eso es precisamente lo que va a suceder; bien, ¿y qué?». Y decía con encantadora sencillez que, en su experiencia, este pequeño ejercicio hacía desaparecer la tensión, o por lo menos gran parte de ella; aunque, claro está, eso sólo duraba hasta la próxima ocasión en que había que volver a echar mano de la fórmula.

El hecho tiene su explicación. El miedo anticipado es siempre mayor que la calamidad real, y su peso aumenta con la lejanía de la perspectiva. Su magnitud crece con los temores que una imaginación excitada puede añadirle, y eso en un momento en que el organismo no tiene a mano las defensas oportunas, porque la situación aún no se ha presentado. Cuando el temido suceso se presenta de hecho, todos los recursos de naturaleza y gracia se activan y se vuelcan sobre el problema, con lo cual se vencen obstáculos, se allanan caminos, se obtiene la victoria o, en el peor caso, se mitiga la derrota. Siempre nos encontramos con que tenemos más fuerza y energía en la crisis real que en la pesadilla anticipada.

El cobarde muere mil muertes, dice el refrán. El héroe valiente puede morir, pero sólo una vez. Cuando escapamos del peligro, aumentamos sus dimensiones y sus sombras en nuestra imaginación. Y, al contrario, cuando nos volvemos y le hacemos frente, aunque sólo sea mentalmente, se reduce su tamaño y se apagan sus fuegos. «Me temo que no voy a conseguir pasar este examen. De acuerdo, me van a suspender. ¿Y qué? No me voy a morir por eso. Lo más que puede pasar es que pierda un año en mi carrera. Eso ahora parece algo serio, pero, una vez que saque el título y me ponga a trabajar, ¿a quién le importa que yo haya tardado un año más o menos en acabar los estudios? Ni siquiera se enterarán. La gente se olvida pronto, y yo mismo me olvidaré con el tiempo...» Lo que hoy parece un obstáculo insuperable, pronto se achicará y resultará un miedo ridículo. La perspectiva reduce el miedo. Tomemos un caso que todos tememos: «Sí, voy a ir por fin a que me hagan unos análisis para diagnosticar de una vez este molesto dolor que no me deja en paz, y que ya desde ahora sé que va a resultar que es un cáncer. Digámoslo de una vez: tengo cáncer. Bien. Hay medicinas y tratamientos que pueden resultar. No soy el primer enfermo de cáncer en el mundo. Conozco a varios, y algunos están tan tranquilos, y otros, de hecho, se curan. Aún pueden pasar muchas cosas. Y, puestos en lo peor, ¿qué puede ocurrir? ¿Que me muera? ¿Y qué? ¡Vaya noticia...! Todo el mundo se muere antes o después, y unos años más o menos es algo que desde aquí aún parece tener importancia, pero que, a fin de cuentas, no va a importar mucho. Ahora ya estoy convencido de que voy a morir pronto, y así se lo digo sencillamente a todo el mundo. Nunca me he sentido más tranquilo. Ahora sí que me van a dejar todos en paz, y puedo esperar que me hagan un funeral digno...».

Puede que parezca trivialización de un miedo real; pero es precisamente eso lo que sucede cuando aplicamos el «¿y qué?» a los miedos reales: acabamos viendo su lado ridículo, su falta de proporción, su vacío de contenido, y nos permitimos reírnos de nosotros mismos. Se acabó el miedo. Por otra parte, ni esto constituye un remedio universal ni pretende en modo alguno ignorar la realidad del sufrimiento o pasar por alto las amarguras inevitables de la vida. Hay situaciones en las que sería criminal decir alegremente «¿Y qué?». Hay que respetar el sufrimiento y no reírse del dolor de los demás cuando nosotros nos sentimos seguros. Nunca debemos hablar con autosuficiencia del sufrimiento, y menos ante gente que sufre. Si no, podrían muy bien replicarnos: «Tú hablas así porque no estás sufriendo como yo. Si estuvieras en mi lugar, te guardarías muy bien de proferir consuelos inútiles. Es muy fácil hacerse el listo y dar consejos a los demás, pero espera a que te toque a ti, y ya me dirás entonces de qué sirven tus disquisiciones...». No hay que olvidar nunca la prudencia y la delicadeza al tratar con los demás y aun con nosotros mismos. Si no podemos remediar el mal, al menos no lo agravemos.

Sin embargo, este despreocupado enfoque funciona a veces de manera inesperada. He conocido a personas en mi vida —no demasiadas, pero tampoco demasiado pocas— que sentían verdadero miedo al infierno, y algunas de ellas estaban tenebrosamente convencidas de que habrían de a ir a parar allí por toda la eternidad. Parece imposible que personas piadosas puedan pensar así de sí mismas; pero una educación equivocada, unos miedos tempranos y unos escrúpulos continuados pueden causar estragos en una mente dócil y llevar a la desesperanza. No son casos fáciles de tratar, y quien se ve así afligido atribuye a la amabilidad de quien trata de consolarlo todos los esfuerzos que éste pueda hacer, mientras él está seguro de su condenación y se aferra a ella. En tales casos no parece oportuno el recurso de restar importancia a los miedos y decir: «O sea, que vas a ir a al infierno por toda la eternidad... Bueno, ¿y qué?». Esto podría causar más daño que otra cosa.

A pesar de todo, con razón o sin ella, una vez traté así a una santa mujer religiosa que, según ella, estaba irrevocablemente destinada al fuego eterno. «Me dices que estás condenada al infierno. Supongamos que sea verdad... ¿Y qué?». Hasta aquel momento, ella había estado muy seria a lo largo de todo el penoso diálogo; pero, cuando llegamos a este punto y yo expresé su miedo con toda tranquilidad y naturalidad, ella no pudo menos de ver lo absurdo de su suposición, se echó a reír casi contra su voluntad, y allí se acabó la discusión. La traviesa pregunta, «¿y qué?», había puesto un toque de realismo en una situación que se había desviado de la lógica y del sentido común para caer en la negrura de un pesimismo derrotista. La vuelta a la realidad es la fórmula que acalla miedos y devuelve equilibrios. Lo que de hecho sucede nunca es tan horrible como lo que se teme de lejos. Tenemos más resistencia de lo que creemos. La naturaleza es sabia, y Dios es misericordioso, y siempre hay una salida para cada trance, una solución para cada problema, o al menos el esfuerzo personal de abrazar la vida tal como viene día a día, esfuerzo que proporciona satisfacción personal y mérito eterno. Una vez que hemos visualizado lo peor, cualquier cosa que venga será un alivio.

Buda instruyó a sus discípulos: «La gente que os vea y os escuche, es posible que os insulte y hable mal de vosotros». Ellos aceptaron la enseñanza y dijeron: «Sí, la gente, cuando nos vea y nos oiga, nos insultará y hablará mal de nosotros». Buda continuó: «También os tirarán piedras y os herirán». Ellos contestaron: «Lo sabemos; nos tirarán piedras y nos herirán». Buda insistió: «Podrán llegar a enfadarse tanto con vosotros que os atacarán y os matarán». Y los discípulos contestaron con la misma ecuanimidad y paz: «Sí, se enfadarán con nosotros y nos atacarán y nos matarán». Con esa enseñanza asimilada podían partir y llegar a regiones lejanas y sufrir cualquier adversidad en el servicio del mensaje de paz que llevaban.

Hubo en Persia en el siglo X una valerosa e inteligente reina que, al parecer, empleó esta misma táctica de esperar lo peor y decirlo, para así librarse de todo miedo y salir adelante en circunstancias más bien delicadas para el trono. El marido de la reina Seada había fallecido, y su hijo era todavía menor de edad, por lo cual la reina actuaba como regente del reino. El sultán Mahmud de Gazna, «el terror de los ídolos», que había extendido sus conquistas hasta suelo indio, codiciaba aquellos territorios y, cuando el rey murió, decidió anexionárselos. En busca de una excusa para la invasión, le escribió a la reina Seada y le pidió un elevado tributo. Como ella no podría pagar ni defender sus tierras ante un ejército muy superior, una rápida invasión bastaría para la conquista. Pero el sultán no contaba con el ingenio de la reina. Ésta, que sabía muy bien el peligro, pensó en lo peor que podía sucederle y escribió en estos términos al altanero invasor: «En vida de mi marido, yo sí tenía miedo al gran sultán Mahmud que ha conquistado Persia y la India. Ahora ya no tengo miedo. Sé que el gran monarca no enviará su ejército a luchar contra una mujer. Si luchara contra mí, yo resistiría hasta el final. Si yo venciera, alcanzaría renombre eterno. Y si el sultán Mahmud obtuviera la victoria, la gente diría que había derrotado a una vieja mujer. Como sé que el sultán es demasiado inteligente para aceptar ninguna de estas dos alternativas, sigo tranquila y sin miedo alguno a lo que pueda suceder». La carta tuvo el efecto deseado, y el sultán no invadió las tierras de la reina.

Conocer y aceptar los miedos es la mejor manera de vencerlos. Saber mi debilidad es afirmar mi fuerza.

Inocente y culpable

G.K. Chesterton expresó acertadamente la esencia del pecado original cuando lo vio reflejado en el hecho de que, sea lo que sea el hombre o la mujer, no es lo que debería ser. Algo ha fallado, algo falta, algo se ha torcido por algún lado, y todos lo vemos en nuestra experiencia diaria, en nosotros mismos y en los demás, y lo notamos en la visión nublada, en el andar incierto, en el resultado siempre incompleto de nuestros mejores esfuerzos y nuestros genuinos deseos. Hay algo en nosotros que necesita cura, que requiere ayuda, que demanda la paciencia humana y el perdón divino; y sin esa negra realidad, que afecta a nuestras vidas y al mundo entero, no podemos explicar ni nuestra historia personal ni la de la raza humana. El hecho es innegable, y marca nuestra experiencia religiosa de hombres y mujeres imperfectos bajo un Dios justo y misericordioso.

Es igualmente innegable que nuestra condición de pecadores ha sido exagerada a veces por nuestra morbidez contra nosotros mismos y por la permanente tentación de manipular a otros y doblegarlos a nuestro gusto a través del sentido de culpa. La culpabilidad es aliada cercana al miedo, y por eso es importante recobrar el equilibrio entre el pesimismo moral, por un lado, y la ligereza irresponsable, por otro. Dios es Padre, y haremos bien en hacer de este hecho fundamental un principio práctico en nuestras vidas.

En épocas pasadas, yo mismo he exagerado la culpabilidad en mi propia vida (y, desgraciadamente, también en las vidas de otros, con mi forma de predicar y de dar ejercicios espirituales, por ejemplo), y me ha costado cierto trabajo recobrar el equilibrio y centrar mi sentido de la responsabilidad, sin exagerar complejos. Episodios como el siguiente me han hecho corregir mi perspectiva, con la ayuda de un cierto sentido del humor. Tuve ocasión de ver una divertida película, «Los dioses se han vuelto locos», que, entre broma y veras, encierra una serie de lecciones para nuestra civilización frente a la no menos digna y noble civilización de las razas africanas. La película describe las aventuras de un grupo de bosquimanos en África que han encontrado en medio de la selva una botella vacía de Coca-Cola que un aviador descuidado había dejado caer en pleno vuelo. El actor principal era un bosquimano auténtico, que actuó con extraordinaria espontaneidad y desapareció en la selva cuando acabó la filmación, sin esperar a que le pagaran. El dinero no le servía para nada en la sencillez de su vida y la inocencia de sus conceptos...

El episodio que aquí me interesa es aquel en que nuestro cándido bosquimano, tras la pista de la botella vacía, llega a la ciudad y se pierde en el laberinto de calles, semáforos, coches y multitudes. En medio de la ciudad hostil, siente hambre, y trata de satisfacerla de la única manera que conoce. Ha divisado una cabra, se acerca a ella, la acaricia, le pide perdón a su manera por tener que matarla para comer, y pasa de las palabras a los hechos. Lo malo es que, en la ciudad, la cabra tiene dueño, cosa que el bosquimano no entiende; el dueño le denuncia, acude la policía, y nuestro hombre se encuentra ante el juez. Tras el interrogatorio, el juez pide al abogado —que hace también de intérprete, ya que el juez no conoce la lengua de la selva— que le pregunte al acusado si se declara inocente o culpable. El abogado duda un momento, se rasca la cabeza, luego se vuelve al juez, en lugar de volverse al bosquimano, y dice con todo respeto: «Señor juez, en la lengua de esta gente no hay ninguna palabra para decir 'culpable'».

Hay ocasiones, y ésta fue una de ellas para mí, en que el tiempo empleado en ver una película se recupera plenamente. Me quedé pensativo reflexionando sobre las consecuencias de un hecho tan inocente. No hace falta ser lingüista para caer en la cuenta de que, si la palabra que denota un concepto se encuentra ausente de un lenguaje, también se hallará ausente el propio concepto. El lenguaje refleja la cultura. Mientras que a nosotros nos basta con una sola, los esquimales tienen una docena de palabras para decir «nieve», porque las diferentes clases de nieve tienen para ellos una importancia que no tienen para nosotros. En las lenguas de la India hay palabras distintas para decir «hermano del padre», «marido de la hermana del padre», «hermano de la madre» y «marido de la hermana de la madre», que son todos «tíos» en castellano; lo cual nos recuerda que los lazos de familia son más fuertes y sutiles en la India que en Europa. Y así, aquellos buenos bosquimanos no sabían qué era ser «culpable». No tenían la palabra en su vocabulario, porque no existía el concepto en su mente. ¡Bendita ignorancia! Fuera cual fuere su filosofía y educación, no se consideraban sujetos a culpabilidad moral. Sin duda, habría entre ellos tropiezos, encuentros, equivocaciones o fallos que la tribu examinaría y aun castigaría; pero la idea de culpabilidad moral ante el pecado personal no tenía lugar en su mundo conceptual. Un pensamiento molesto me asaltó entonces: ¿Cómo se las arreglaron los primeros misioneros cristianos para transmitir a aquella gente su mensaje primordial de que Jesús es para nosotros el Redentor que se hace uno de nosotros y nos justifica ante el Padre con su amor, su sufrimiento y su muerte? A personas que no se consideraban pecadoras les resultaría difícil entender la noción de redención. Esto tiene para mí una lección positiva, y es que África tendrá mucho que aportar a nuestra tarea de conocer y amar mejor a Jesús cuando sus pueblos piensen desde su propia cultura con libertad y originalidad, en lugar de tener que copiar un punto de vista extraño e impuesto. Cada continente tiene mucho que aprender de los demás.

Otro ejemplo de África, no menos interesante e instructivo. La baronesa Karen Blixen, que logró sintonizar profundamente e identificarse con África, tuvo, sin embargo, ciertas dificultades para entender determinados modos de pensar y actuar de los nativos, entre ellos precisamente éste de la responsabilidad moral ante actos pecaminosos. En «Memorias de África» cuenta un incidente que ocurrió en un pueblo cercano a sus plantaciones de café y que le hizo reflexionar al respecto. Unos niños estaban jugando con armas de fuego que habían sacado a escondidas de sus casas; de pronto, el rifle de uno de ellos se disparó accidentalmente, con tan mala suerte que el disparo alcanzó a otro niño del grupo, que murió en el acto. El asunto se trató en la asamblea de los ancianos del pueblo, y la baronesa, que ejercía las funciones de alcaldesa, presidió la sesión. Para ella la cuestión fundamental, dada su mentalidad occidental (en este caso, más bien deberíamos decir «nórdica»), consistía, ante todo, en aclarar si la desgracia había sido en realidad un puro accidente o si había habido algún tipo de intención —y, por consiguiente, de culpa— por parte del niño cuya arma se había disparado.

Comenzó a hacer preguntas y más preguntas, hasta que cayó en la cuenta de que no llegaba a ninguna parte. En el grupo de ancianos que la rodeaba, nadie parecía seguir sus razonamientos. Por fin le dijeron claramente lo que pensaban. Uno de ellos se lo explicó más o menos de esta manera: «Nosotros no entendemos lo que usted quiere decir cuando insiste en querer averiguar si ha habido alguna intención, culpa o responsabilidad por parte del muchacho. Sólo sabemos que el rifle estaba en sus manos, que lo disparó y que el otro muchacho cayó muerto. Eso ha causado al padre del muchacho muerto una pérdida importante en su vida y en su futuro, y lo que ahora tenemos que hacer aquí es, sencillamente, evaluar esa pérdida y determinar en consecuencia el número de vacas, cabras y ovejas que el padre del chico que disparó tiene que pagar al padre del chico que murió. Hagamos eso, y hemos terminado». La baronesa entendió. No se trataba de averiguar, como habría hecho un tribunal europeo, si el chico era culpable o no; no era ése el asunto, porque, una vez más, el concepto de culpabilidad moral estaba ausente de su mundo conceptual. Cuenta las cabras, y asunto concluido.

La baronesa sacó de estas experiencias una conclusión que se aparta de la opinión de Albert Schweitzer que mencionábamos en un capítulo anterior, y que también merece consideración: los africanos, a su modo de ver, tienen menos miedo que los europeos. «Los nativos tienen mucho menor sentido del riesgo en la vida que el hombre blanco. A veces, en una cacería o en las plantaciones, en momentos de gran tensión, he mirado a los ojos a mis compañeros nativos y he sentido que ellos y yo nos hallábamos a una gran distancia, y que ellos se sorprendían de mi temor ante el riesgo. Me hacía pensar que ellos estaban, dentro de la vida, en su propio elemento, de un modo que nosotros nunca conseguiremos; estaban como peces en el agua, que, por mucho que lo intentaran, no podrían entender nuestro miedo a ahogarnos en ella».

Unidad con la naturaleza y conciencia inocente logran reducir los miedos y aumentar la confianza en nuestras vidas. Fue la misma actitud que encontré en los universitarios con quienes viví cuando, al poco de mi llegada a la India, fui a aprender la lengua gujarati a una universidad del lugar. En nuestras discusiones —que para mí eran una ocasión impagable, no sólo para ejercitarme en su lengua, que ya lo es mía, sino también para aprender la mentalidad de aquellos a quienes quería amar y entender— me preguntaban acerca de la concepción cristiana de la vida, y ya entonces observé que, en cuanto mencionaba el pecado, se alzaba entre nosotros un muro de incomprensión. Eran buenos muchachos que no querían mal a nadie y que me repetían con candidez su punto de vista en materia tan vital. Aceptaban sus limitaciones, fallos, errores, equivocaciones, fricciones y malentendidos, que ciertamente podían causar molestia y sufrimiento; pero rechazaban decididamente la idea de que una «mala» acción pudiera llevarse a cabo por «malicia», con conciencia «pecadora». No era ésa su manera de ver las cosas.

En otro continente, el jesuita tirolés Antonio Sepp (1655-1733) trabajó y murió en las Reducciones del Paraguay-Uruguay tras haber logrado conocer a fondo y amar entrañablemente a los indios jaros y guaraníes, entre los que vivió con fervor e inteligencia toda su generosa vida. Y de ellos dijo con sinceridad y responsabilidad, en una de las largas cartas que enviaba a sus hermanos en Europa: «Pecados mortales no cometen». No es que los buenos indios no tuvieran defectos y debilidades (que el Padre Sepp relega, en su vocabulario canónico, a «pecados veniales»), sino que tampoco ellos, como sus hermanos de África y de la India, se consideraban pecadores separados de Dios por su pecado y reos de castigo por su culpabilidad personal.

Un profesor de la universidad india a la que acabo de referirme se acercó un día al grupo en que debatíamos estas cuestiones, y sentenció en terminología técnica: «El pecado como impureza ritual o como limitación metafísica, sí; como culpa moral, no». La idea del pecado como ofensa a Dios que constituye pecador a quien lo comete y lo entrega a un castigo que puede ser eterno, no encontraba aceptación entre ellos. Sin embargo, todos estaban de acuerdo conmigo en que algo no funcionaba en el hombre y la mujer tal como los conocemos; que nosotros mismos nos encontramos con frecuencia perplejos ante nuestra propia conducta, hacemos lo que no pretendíamos hacer e, increíblemente, causamos daño a aquellos a los que amamos. El texto de Pablo, «no hago el bien que quiero, sino el bien que no quiero», tiene un paralelo exacto en la queja de Duryodhan en el Mahabharata: «Conozco el bien y no lo hago; odio el mal y, sin embargo, lo hago».

Hay aquí una experiencia común con ramificaciones diversas. Todos podemos aprender a suavizar nuestra propia expresión con lo que recibimos de los demás. El encuentro entre Oriente y Occidente, entre Norte y Sur, puede ser ocasión de redención y enriquecimiento para pueblos de todos los continentes.

Las matemáticas y el sexo

Nuestra conciencia es especialmente vulnerable en lo tocante al sexo. La tradición continuada y la repetición insistente que nos han llegado de las manos de preceptores y moralistas desde nuestra juventud han afinado nuestra sensibilidad y acrecentado nuestra culpabilidad bajo el peso de la vergüenza. Hemos llegado a tener miedo a nuestro propio cuerpo, miedo unos a otros, miedo a las miradas y al tacto, miedo a la imaginación y a la tentación en un mundo de lujuria... Todos los demás pecados, en las listas de costumbre, eran o demasiado leves para que gravaran nuestra conciencia, como el olvidar las oraciones de la mañana o el decir mentiras, o demasiado graves para cometerlos con facilidad, como el asesinato o el robo. El sexo era el único pecado fácil de cometer y lo suficientemente serio como para pesar sobre nuestras conciencias y hacernos temer el infierno. No es extraño que el sexo haya dominado el mundo de la moral durante siglos, y sólo ahora estamos aprendiendo a recobrar el equilibrio y a ampliar perspectivas en madurez responsable.

Cuando yo era joven, un venerable y anciano sacerdote que era una autoridad internacional en derecho canónico y teología moral visitó nuestra casa, y todos nosotros, jóvenes estudiantes jesuitas, fuimos invitados a entrevistarnos con él en privado para aprovecharnos de sus conocimientos y su sabiduría. Como casi todos los demás, yo también fui a verle, llamé a la puerta, entré en la habitación y me senté frente a él, con la mesa de por medio. Antes de que yo pudiera abrir la boca o presentarme diciendo mi nombre, él comenzó a hablar. Desde el principio, y sin mayores preámbulos, habló del sexo..., y del sexo siguió hablando los aproximadamente veinte minutos que duró la entrevista. Yo no había abierto la boca; tan sólo había pensado hacerle un par de preguntas generales de moral, y no estaba preparado en absoluto para aquella descarada ofensiva contra mi joven timidez. Permanecí callado durante la conferencia que me propinó. Ahora comprendo que no hacía más que proyectar sobre mí sus propios complejos sexuales, que por lo visto no eran pocos, y conseguir cierta satisfacción al hablar de la materia prohibida con un interlocutor inocente. Como éramos más de cien jóvenes en aquella casa, y fueron muchos los que le visitaron, el buen hombre debió de pasarlo en grande...

La obsesión por el sexo era general y se alimentaba de nuestros peores instintos: vergüenza, culpabilidad y miedo. No puedo menos de sospechar que, en las manos de algunos directores espirituales y consejeros del pasado, el sexo era, consciente o inconscientemente, un instrumento para manipular a almas dóciles y hacer que se sometieran al estatuto vigente. El sexo crea culpabilidad, la culpabilidad engendra miedo, y el miedo puede utilizarse para doblegar y hacer obedecer a la mente más rebelde. Esto podría explicar la resistencia que el estatuto vigente siente a aflojar su control en esta materia, así como la exagerada importancia que le concede. Mientras haya que recurrir a tales directores para consejo y absolución en nuestras perplejidades sexuales, ellos seguirán siendo indispensables como jueces y maestros de conducta humana. Si el sexo, como tema moral, perdiera su importancia, ellos perderían su influencia como directores de almas. Por eso en el pasado se exageró el sexo más allá de todo límite razonable, y en la práctica se erigió en centro de la moralidad. Nos hicieron sentirnos enfermos para que el hospital siguiera lleno...

Pero no siempre fue así. Sin necesidad de remontarnos al breve espacio de inocencia paradisíaca antes del pecado original, sabemos de épocas y culturas en que el cuerpo no era enemigo, ni el sexo era tabú. No somos ángeles, desde luego, y siempre habrá peligros y seducciones y fallos, y el sexo será siempre una gran fuerza elemental que puede desatarse, desbordarse y causar destrozos en las vidas de hombres y mujeres; pero, precisamente por esa imagen tan negativa y amenazadora que tenemos del sexo, nos vendrá bien mirar por un momento la inocencia espontánea, transparente, encantadora, de que algunas gentes disfrutan como sanos hijos e hijas de la naturaleza ante la realidad telúrica del sexo. Tomo un ejemplo sacado de mi educación matemática.

Bhaskaracharya es el nombre del mayor genio matemático en la historia de la India. Su obra más conocida, el *Lilávati,* fue escrita a principios del siglo XII. El nombre del libro es sorprendentemente poético; y, de hecho, todo el libro está escrito en verso. En sánscrito, *Lila* significa «juego», «pasatiempo», «deporte», y se usa incluso para describir el divino juego de la creación en los campos del cosmos. *Lilávati* es el nombre propio femenino, que significa «la juguetona», y es apelativo cariñoso de una niña inocente o de una hija querida. Tal era la hija única de Bhaskaracharya, y la historia de cómo su nombre llegó a figurar en la cubierta del tratado escrito por su padre es una triste historia en la tradición india.

Se estaban preparando las ceremonias de su boda, y el detalle más importante, que consistía en calcular con exactitud el único momento en que el gesto sacramental de «juntarse las manos» había de tener lugar, quedó a cargo personal de su padre, que quiso hacerlo de una manera digna de su reputación y su imaginación. Hizo un agujero cuidadosamente medido en una gran hoja de loto, depositó la hoja en el estanque y calculó que el momento en que el agua, entrando poco a poco por el orificio, hundiera la hoja de loto señalaría el instante de la conjunción estelar, única oportunidad en que la boda podía y debía celebrarse. (En la India moderna he visto cómo los sacerdotes brahmanes, de manera más prosaica pero no menos exacta, consultan atentamente sus relojes de pulsera para señalar el instante predestinado. Materia tan seria no permite el menor descuido).

Comenzó la ceremonia, se fue hundiendo la hoja, y nadie se apercibió de que una pequeña perla se había desprendido de los atavíos de la novia, había resbalado hasta la solemne hoja y había obturado el precario agujero en la verde superficie. La ceremonia siguió adelante. Todos miraban de reojo a la hoja, medio sumergida, y esperaban. Se alargó la espera, y alguien empezó a sospechar...: ¿Ha sucedido algo? ¡La hoja no se hunde! Se examinó el estanque, se palpó la hoja, se encontró la perla... y al fin cayeron en la cuenta, en medio de la general consternación, de que ya era demasiado tarde. El momento único había volado, y ya no podía celebrarse la boda. La novia, con todas sus joyas y adornos, quedó condenada a la virginidad obligada. Fue entonces cuando, para consolar a su hija en su dolor, el gran maestro hizo lo único que podía hacer. Le dijo: «Escribiré un libro que durará mientras dure la ciencia en el mundo, y le daré tu nombre. Eso te hará inmortal». Si el gesto del padre amante logró consolar o no a la hija desolada, no lo sabemos; pero el libro está ahí, con el nombre de la desdichada joven en la portada: *Lilávati*.

Un tratado de matemáticas contiene teoremas y problemas. Estos últimos, aunque en esencia son cálculos abstractos, suelen ir acompañados de imágenes y sucesos de la vida diaria para hacerlos más atractivos, y así, indirectamente, nos dan una idea de cómo era la vida en la sociedad de aquel tiempo en aquel país. Los problemas que yo hacía en el colegio eran sobre trenes, grifos, ríos, torres o jugadas de fútbol. Por ejemplo: «Hallar sobre el lado más largo del rectángulo de un campo de fútbol el punto que subtiende el mayor ángulo en la portería contraria (y que ofrece, por consiguiente, mayores probabilidades de gol)». No hay jugador de fútbol que se ponga a hacer semejantes cálculos en mitad de un partido; pero el presentar un problema de máxima y mínima como una jugada de fútbol sí ayuda a mantener la atención siempre voluble de los alumnos. Cuando llegué a la India, me encontré en clase de matemáticas con ejemplos relacionados con el criquet que, aparte de ser complicados en sí mismos, lo eran más para mí, que nunca he conseguido entender el encopetado juego. El problema clásico era hallar el «centro de percusión» de un bate de criquet, es decir, el punto exacto de éste con el que debe chocar la pelota para no recibir una sacudida en las manos y para lograr el mayor efecto. Los libros de texto modernos están llenos de problemas sobre viajes espaciales y lógica cibernética. El entorno cultural se refleja en la clase diaria. Con esa perspectiva, resulta interesante ver el tipo de situaciones que surgían en la vida ordinaria de la India del siglo XII. He aquí algunas muestras tomadas del *Lilávati*.

«Un pavo real [enemigo legendario de las cobras en la India] está posado sobre una columna de cinco codos de altura. Al pie de la columna tiene su madriguera una cobra. El pavo real ve a la cobra a una distancia tres veces superior a la altura de la columna y, mientras la cobra se dirige a su madriguera, el pavo real se lanza a atraparla. Si la velocidad del pavo real es la misma que la de la cobra, averigua, oh digno adorador de la sabiduría, a qué distancia de la base de la columna está el punto en que el pavo real alcanza a la cobra» (solución: 12 codos).

«Un rey distribuye dádivas a brahmanes durante quince días. El primer día les da cuatro monedas de oro, el segundo nueve, y así, cada día cinco más que el anterior. ¿Cuántas monedas les da en total?» (solución: 585.)

«El dios Shankar [otro nombre de Siva] ostenta diez atributos en sus diez manos: el lazo, el aguijón, la cobra, el tambor, la calavera, el tridente, el cetro, la daga, la flecha y el arco. Si cambiamos esos objetos de todas las maneras posibles en sus diez manos, ¿cuántas imágenes distintas de Shankar podemos sacar? Y si tú, oh digno adorador de la sabiduría, eres partidario del dios Visnú, ¿cuántas imágenes suyas puedes diseñar combinando en sus cuatro manos sus cuatro atributos, la concha, la rueda, la maza y la flor de loto?» (solución: 3.628.800 para Shankar, y 24 para Visnú). Y ahora, atención al siguiente.

«Mientras una cortesana le está haciendo el amor a un amante, se le rompe el collar de perlas que lleva. Una quinta parte de las perlas cae sobre la cama, una tercera parte al suelo, una sexta parte queda en su cuerpo, y una décima parte en manos del amante. Si aún quedan seis perlas enhebradas en el collar, ¿cuántas perlas había en total?».

Siguen otros problemas sobre el número de flechas que Ariuna necesita para someter a Karna en la batalla del Mahabharata, y sobre lagos y lotos y nubes y pájaros. Y en medio de todo ello, sin armar ningún ruido ni provocar ningún fruncimiento de ceño, mezclándose con el paisaje y fluyendo con la corriente, está el cuento de la cortesana y su amante. El sexo era, sin duda, algo bien común y corriente en aquellos días, cuando se podía traer con tanta naturalidad en un docto tratado.

Yo he publicado varios textos de matemáticas (entre ellos, el primer tratado de álgebra abstracta moderna en una lengua india), y me imagino la que se habría armado si yo hubiera incluido en alguno de ellos un problema como el siguiente: «Una prostituta está haciendo el amor con un cliente. Si la suma de sus edades es cincuenta, y la diferencia diez, averigua, oh digno adorador de la sabiduría, sus respectivas edades». Se habría provocado un considerable escándalo, se habría prohibido el libro, y a mí me habrían declarado corruptor de la juventud y me habrían obligado a beber la cicuta, como es costumbre en tales casos. Al contrario que Bhaskaracharya, yo no habría salido incólume del asunto. Tengo a la vista una edición antigua del *Lilávati* con grabados para cada problema, aunque, desde luego, no pienso reproducirlos aquí. No defiendo la prostitución en manera alguna, pero sí encuentro deliciosamente refrescante ver mencionado el sexo con tranquila indiferencia, en medio de flores de loto y pavos reales y reyes y dioses, de labios de un venerable, sabio y cariñoso padre, en un tratado dedicado a su hija virgen. Nada de escrúpulos, mojigatería, escándalo farisaico o tabúes sociales. Naturalidad espontánea de inocencia preadamítica.

En la India del siglo XII, el sexo no era noticia. Moralistas como el que mencioné al comienzo del capítulo perderían su empleo en aquella sociedad. Y eso sería una bendición para todos. Siempre habrá peligros de los que defenderse, y siempre habrá actitudes que aprender y equilibrios que recuperar para avanzar en la vida. Evitando los dos extremos —licencia por un lado, y escrúpulo por otro— que acechan a nuestro paso por la moralidad y la conducta, podemos y debemos aclarar nuestra visión y reforzar nuestra posición. Hemos de conseguir una reacción madura y responsable al instinto ancestral y liberarnos del complejo de culpa y vergüenza que hemos asociado tristemente a nuestros cuerpos. No nos tengamos miedo a nosotros mismos. Vuelta a la paz orgánica de alma y cuerpo en comunión hermana.

La solución del problema es fácil. Una quinta parte de las perlas, más una tercera parte, más una sexta parte, más una décima parte, más seis perlas, es igual al número total de perlas, que llamamos «x». Es decir,

$$\frac{x}{5} + \frac{x}{3} + \frac{x}{6} + \frac{x}{10} + 6 = x.$$

Quitando denominadores y despejando la incógnita, vemos que el número de perlas es treinta.

El gran manipulador: el miedo

El miedo nos abre a la manipulación. Ya he mencionado la idea, pero deseo ampliarla. La manipulación es uno de los aspectos del miedo que más daño nos hacen, ya que erosiona nuestra personalidad e hipoteca nuestra libertad. El miedo nos hace sentirnos inseguros; y, en nuestra inseguridad, buscamos refugio en cualquier cosa que nos pueda devolver la seguridad de alguna manera. Nos sentimos impacientes ante la inseguridad, no aguantamos tramos largos de incertidumbre y nos apresuramos a buscar protección, firmeza y claridad a toda costa. Cuando nos sentimos seguros, podemos defender nuestra postura y resistir los ataques. Sabemos lo que queremos y, aunque apreciemos otros puntos de vista, preferimos el nuestro, por razones que conocemos y sabemos exponer clara y rotundamente. Incluso estamos dispuestos a cambiar de opinión y aceptar otro punto de vista, precisamente porque tenemos seguridad y no vemos la diferencia o la novedad como una amenaza; y si cambiamos, lo hacemos por nuestra propia iniciativa y decisión. La seguridad nos da firmeza para mantenernos donde estamos y libertad para cambiar según deseemos. El miedo nos hace temblar, en la mente más que en el cuerpo, y nos agarramos al primer apoyo que pueda afirmar nuestro paso vacilante. Cuando somos débiles, resultamos presa fácil para cualquier manipulador de conciencias. La seguridad, lo primero. Y —con la misma triste lógica— la libertad, lo último.

Como profesor, conozco el medio infalible de hacer estudiar a los alumnos: la amenaza de los exámenes. Puedes saltarte mis clases, no hacer los deberes, vender el libro de texto y quemar mis apuntes; pero te aguardo en el día del juicio, y ya veremos quién ríe el último. Aquí está el examen. Diez preguntas. Siete a contestar. Te costará decidir cuáles escoges, y te costará aún más contestar las que escojas. Contesta con exactitud. Todo el trabajo en sucio ha de escribirse también sobre el papel. Se descontarán puntos por mala letra. La corrección será estricta. Y habrá también vigilancia severa en la sala para evitar toda tentación de copiar. Cualquier infracción de las reglas será duramente castigada. Aquí te quiero ver...

Manipulación descarada. Para su bien, por supuesto, como son todas las manipulaciones a manos de gente bien intencionada; pero manipulación clara y desnuda, de todos modos. Tengo la vara en la mano, y sé manejarla debidamente para que rodillas y mentes se doblieguen en sumisión y obediencia. Aunque no sea el amor a las matemáticas ni la necesidad de un título ni el deseo de aprender lo que mantenga al estudiante atado a su mesa de trabajo y a sus libros hasta altas horas de la noche, lo hará el miedo al examen. Se consigue el resultado, pero la motivación falla. El fin no justifica los medios. Sean cuales sean los beneficios que el conocimiento de las matemáticas aporte al joven o a la joven, el daño causado por la presencia del miedo en su moldeable mente es mayor a la larga. Repartimos ciencia, pero debilitamos el carácter. Y lo llamamos educación.

Una vez fui a dar mi clase diaria, tiza y borrador en mano, a las once menos cuarto de la mañana, en el aula de siempre. Me planté en la puerta del aula exactamente treinta segundos antes de que sonara el timbre, con la puntualidad infalible de que me enorgullecía, y esperé. Noté algo raro. El aula estaba vacía. ¿Me habría equivocado yo de hora o de lugar? Lo comprobé en el horario. No, no estaba equivocado: eran la hora y el aula establecidas. Y ni un alumno de muestra. Nunca, en toda mi carrera de profesor, me había ocurrido algo así. ¿Habría huelga de estudiantes...? No. Miré alrededor y vi a un colega en la misma situación que yo; se me acercó y me explicó lo que pasaba: un célebre actor de cine («el ídolo de la pantalla», según la prensa local) había venido aquella mañana a otro local de nuestra universidad para presidir una función filantrópica. El lugar estaba cerca, los estudiantes estaban bien informados, y por una vez habían decidido unánimemente dejar a un lado los estudios, que siempre pueden esperar, y aprovechar aquella ocasión única para ver de cerca al ídolo. Y allá se marcharon todos ellos, chicos y chicas, dejando a su profesor abandonado en un pasillo solitario y meditando, con tiza y borrador en la mano, en los valores relativos de una generación y otra. Esperé los cinco minutos de rigor y me retiré a urdir mi venganza.

Al día siguiente, la clase estaba llena. Silencio total en los bancos. Yo comencé con afectada indiferencia y dije: «Los teoremas y problemas que ayer debían haberse explicado aquí se encuentran en tal y tal página del libro de texto. No se explicarán en clase, pero sí formarán parte de la materia para el próximo examen. Pasamos ahora a la lección siguiente...». Así lo hicimos. Cuando llegó el examen, yo analicé cuidadosamente las respuestas escritas. La pregunta que mejor habían contestado todos era la que yo había tomado de la lección que quedó sin explicar. Estaban seguros de que aquella materia saldría en el examen, y la habían preparado debidamente. Saqué la conclusión de que, si más estrellas de cine tuviesen la bondad de honrar nuestra universidad con su presencia, mis estudiantes aprenderían más matemáticas... y también las odiarían más.

Hay una palabra que se ha hecho tristemente cotidiana en el vocabulario de hoy: «terrorismo». El reino del terror, la tiranía de la amenaza, la multinacional del miedo. Presión, extorsión, crimen y violencia han alcanzado un nivel verdaderamente brutal, precisamente porque todos tenemos miedo. La vergonzosa industria del terrorismo se basa toda ella, literalmente, en el miedo, sin el que no podría ejercer su odiada y temida actividad. «Liberad a los prisioneros, o hacemos reventar el avión»; «pagad el rescate, o matamos a los rehenes»; «conceded lo que pedimos, o volamos el edificio»… Y nosotros pagamos el rescate y liberamos a los prisioneros y hacemos todo lo que nos piden, porque tenemos miedo a la muerte, miedo a la opinión pública, miedo a las consecuencias políticas, miedo al chantaje… Todos nos quejamos del azote del terrorismo en nuestros días; pero, en cuanto nos toca de cerca, todos cedemos y cooperamos con él, porque nos aferramos a nuestras vidas y tenemos miedo a perderlas. Somos vulnerables porque tenemos miedo, y algunos fanáticos que andan sueltos por el mundo se aprovechan de nuestra debilidad para conseguir sus fines.

Pero también ellos tienen miedo. El terror extiende su reino hasta los mismos comerciantes del terror. Hay terroristas que han matado a quienes han desertado de sus filas para integrarse en una sociedad pacífica. Tienen miedo a quedarse en cuadro si permiten las defecciones, y por eso matan a los compañeros que abandonan el terrorismo y vuelven a la vida normal. Deben de ser presa de una gran inseguridad cuando ven la duda en sus propios camaradas y la sienten ellos mismos en su propio corazón: «Si nuestra gente empieza a dejarnos, ¿adónde vamos a parar? Si los miembros del grupo desertan, ¿qué va a ser del grupo?»… Hay que conseguir que no se vayan. ¿Cómo hacerlo? Amedrentándolos. Usando contra ellos el arma que ellos han usado contra los demás: el arma del terror. Matar a los que dejen el grupo, para que nadie más se atreva a marchar. El miedo a la muerte les hará quedarse, como hace que otros paguen rescates o liberen a criminales. Se ataca con el terror a los traficantes del terror. Los chantajistas son chantajeados. El que mata con la espada, a espada muere. El reino del terror subyuga a los propios terroristas. Fue Robert Frost quien dijo: «Nada me da más miedo que la gente con miedo». Los terroristas están ellos mismos atemorizados y nos atemorizan a todos en la esclavitud más abyecta que el mundo ha conocido. Y acaban saliéndose con la suya y degradando a la humanidad.

Sueño con el día en que la tripulación y los pasajeros de cualquier línea aérea en vuelo regular firmen un compromiso voluntario por el que se comprometan a no aceptar negociación alguna en el caso de que unos terroristas se apoderen del avión, a no ceder a ninguna de sus peticiones, a rechazar incluso una violenta liberación armada y a aceptar en cambio, libre y responsablemente, el sacrificio de sus vidas por la paz del mundo. Semejante actitud —heroica, desde luego, e impensable por ahora— acabaría con todos los secuestros, ya que los secuestradores son lo suficientemente inteligentes para caer en la cuenta de que no ganan nada si cada vez acaban con sus manos vacías de concesiones y llenas de sangre. Primero verificarían un par de veces la realidad de tales compromisos por parte de pasajeros y tripulación; pero, si éstos se mantuvieran firmes y todo secuestro acabara en tragedia, pronto abandonarían los terroristas los secuestros; y puede que ésta fuera la única manera de acabar con la plaga de secuestros, atentados, amenazas y chantajes que tristemente caracterizan la era del turismo aéreo y los explosivos mortales.

Digo esto para dejar lo más claro posible el hecho de que son nuestros miedos los que nos exponen a ser manipulados. El miedo es la herramienta que nosotros mismos les damos a todos esos que nos quieren hacer danzar a su gusto. El terrorismo existe porque todos tenemos miedo. Comisiones internacionales se reúnen periódicamente para analizar el crecimiento del terrorismo y proponer remedios. Que lo sigan haciendo. Pero no es probable que acaben con la plaga. El remedio definitivo está en el corazón del hombre. Sólo si nos libramos del temor, nos libraremos de los lazos y trampas que el terror nos ha preparado.

Ya sé que estoy soñando; pero hubo otra persona que soñó el mismo sueño hace mucho tiempo y lo puso en práctica. Jesús permitió a la violencia que lo atacara, en lugar de defenderse con doce legiones de ángeles, para mostrarnos en su carne el único medio que hombres y mujeres poseen para acabar con toda violencia. Si un hombre o una mujer están dispuestos a abrazar la muerte, nada hay que pueda doblegar su voluntad o manipular sus sentimientos. El secreto del vivir consiste en estar dispuesto a morir. En última instancia, la fe es la que vence al miedo.

El temor de Dios

Los entendidos dicen que la palabra «religión» sólo aparece dos veces en toda la Biblia. (Para los curiosos, esos dos pasajes son Hechos 26,5 y Santiago 1,26-27.) La expresión que la Biblia emplea de ordinario para referirse a la religión es «temor de Dios». En las páginas del Antiguo y del Nuevo Testamento, temer a Dios es honrarlo como tal, reverenciarlo y adorarlo con la adoración suprema que sólo a él es debida. Los seguidores del verdadero Dios son «los que temen al Señor», y Dios ama y recompensa a «los que lo temen». Aun en el cielo, los escogidos temen a Dios, según el Apocalipsis (15,4), y eso demuestra claramente que tal temor no es sumisión angustiosa ni temblor servil, sino que denota la actitud esencial del ser creado ante la majestad y la transcendencia infinitas del Creador. «Gloria es y orgullo el temor del Señor, contento y corona de júbilo. El temor del Señor recrea el corazón, da contento y regocijo y largos días. Para el que teme al Señor, todo irá bien al fin, en el día de su muerte se le bendecirá. Principio de la sabiduría es temer al Señor» (Eclesiástico 1,11-14).

Esto es verdad, sin duda alguna, y el sentimiento de admiración y reverencia que se apodera del alma en presencia de su Hacedor es dimensión intrínseca de la experiencia religiosa del hombre y la mujer sobre la tierra. Sin embargo, también es verdad que, una vez que el concepto del temor religioso llega a mentes y manos humanas, puede ser mal entendido y mal empleado, y puede incluso llevar a los complejos y desviaciones que se asocian con el temor meramente humano en todas sus manifestaciones. El concepto justo y benéfico del temor religioso puede, en la práctica, degenerar en escrúpulos, dudas, aprensiones y pusilanimidades que están muy lejos del concepto original, pero que resultan bien reales, dada nuestra desafortunada capacidad para transformar una generosa ayuda en un dañoso obstáculo. El temor es un concepto peligroso, y no siempre sabemos librarnos de sus peligros.

El peligro sobreviene cuando el temor religioso se emplea, con mejor o peor intención, para manipular a incautos creyentes en ciega sumisión. La tentación de abusar del poder nunca está lejos de quienes lo ejercen, y el poder religioso, que se extiende hasta la conciencia misma del hombre y de la mujer, es el mayor del mundo, mayor que cualquier poder político o militar. «Haz esto, o Dios te castigará»: palabras temerarias que ningún mortal debería atreverse a pronunciar y que, sin embargo, en su expresión literal o en su intención equivalente, no dejan de oírse con triste frecuencia, incluso entre gente seria. Y por reverencia al nombre de Dios y respeto a los que, de una manera o de otra, lo representan, el pueblo devoto aceptará fácilmente el veredicto y se sentirá culpable si no se ajusta a la norma establecida por el poder. La conciencia es el terreno más delicado del mundo, y se requiere el más respetuoso y exquisito tacto para entrar en ella. Pero no siempre se da ese tacto, y nuestras atrevidas y toscas manos tronchan flores sin cuento. La manipulación de conciencias es la peor de las manipulaciones.

En cierta ocasión, me encontraba yo en un pequeño pueblo de la India, cuando me enteré de que dos monjes de una conocida secta religiosa habían llegado al pueblo en su ronda anual de recaudación de fondos para sus instituciones. El pueblo era pequeño, y la gente pobre; y yo pensé que los monjes se irían casi con las manos vacías, y así lo dije. La del pueblo era gente generosa, y haría lo posible por satisfacer de alguna manera la petición de dos personas a las que consideraban ministros del Señor; pero había un límite obvio a su generosidad, y no podrían, aunque quisieran, reunir una suma de alguna cuantía. Cuando les hice saber mi parecer, ellos se limitaron a sonreír y a guardar silencio. Los dos monjes pasaron la noche en el pueblo y se marcharon el día siguiente. Una vez que se marcharon, se supo en el pueblo la suma que se habían llevado. Yo no podía creerlo: venía a ser el equivalente a los ingresos totales de todo el pueblo durante un mes. La gente no tenía ahorros, no tenía dinero en metálico y, aunque lo hubieran querido, no habrían podido reunir tal cantidad en tan poco tiempo. Es verdad que había usureros en pueblos cercanos, pero sus condiciones de préstamo eran tan draconianas que eran sólo un último recurso en una situación desesperada. En este caso se trataba sólo de un tributo religioso recaudado por unos monjes que venían al pueblo sólo una vez al año y con esta intención. Y, sin embargo, la información era verdadera. La cantidad había sido entregada, y en moneda contante y sonante. ¿Cómo había sucedido?

Los monjes habían dicho la cantidad que esperaban recaudar, añadiendo que, si no se la entregaban al contado al día siguiente, harían caer la maldición de Dios sobre todo el pueblo. El ardid dio resultado. La gente del pueblo se sometió humildemente. Eran pobres, pero temían la cólera divina. No podían desobedecer a los hombres que representaban a la religión. Consiguieron el dinero y lo entregaron sin chistar. ¡Dios sabe los sacrificios que cada familia tendría que hacer en los meses venideros por culpa de aquel injusto tributo…! Un pueblo entero había sido manipulado hasta la miseria en el nombre de Dios. Los monjes fueron despedidos con todos los honores y prosiguieron intrépidos su peregrinación financiera según el itinerario trazado. No se volverían sin la cantidad que habían proyectado recaudar.

Este ejemplo externo y evidente es imagen y parábola de las más sutiles manipulaciones a que nos vemos sometidos, no ya en nuestros bolsillos, sino en nuestras mentes, con sus ideas, principios y normas de conducta. Nos dejamos manipular, y por nuestra parte manipulamos a otros, para imponer acciones por miedo, suprimir la libertad y forzar tributos contra conciencia y convicción. En el fondo de mi conciencia, estoy convencido de que cierta acción no es necesaria; y, sin embargo, no dejo de llevarla a cabo, no sólo por miedo a la sociedad y al «qué dirán» si no me ajusto a las normas establecidas, sino por mi propia inseguridad, por cobardía frente al riesgo de ser diferente y desviarme de una regla que todos observan. Honradamente, yo no creo que esa conducta mía habría de desagradar a Dios, pero no me atrevo a seguirla. Seguro que Dios apreciaría más una honesta diferencia de opinión que una sumisión servil. Con delicadeza, para no sobresaltar a la gente ni hacer daño a nadie, con responsabilidad y seriedad, puedo razonar mi postura y escoger mi camino. Dios desea que yo sea claro, honrado y libre con él. Soy yo, con mi miedo y mi falta de fe, el que ahoga la libertad. Y así se perpetúan la conducta forzada y los criterios artificiales. Lo cual, en mi opinión, ni me hace bien a mí ni da gloria a Dios.

El pensador indio Kakasaheb Kálelkar, discípulo y colaborador de Gandhi, cita un ejemplo de su propia experiencia, con su acostumbrado humor y su callada didáctica. Cuando él trabajaba en el estado de Maharashtra, compartía la habitación con un ingeniero de Pune llamado Lele, el cual, al igual que Kálelkar, era de casta brahmán y de subcasta «saraswat», que es una de las más altas; pero el ingeniero pronto dejó claro, en la conversación diaria, que era ateo y no creía en Dios en absoluto. Kálelkar observó, sin embargo, que el ingeniero ateo recitaba todas las oraciones de la mañana y de la noche, sin dejar ni una, incluyendo todos los ritos brahmánicos del *Gayatri Mantra* y el *Sandyá*, cosa que ni el mismo Kálelkar hacía con tanto cuidado y fidelidad. Finalmente, no pudo refrenar su curiosidad y le dijo a su compañero de cuarto: «Tú dices que no crees en Dios, y, sin embargo, yo veo cómo todos los días, por la mañana y por la noche, recitas las oraciones prescritas con regularidad infalible. No quiero ser indiscreto, pero, si me permites una pregunta, ¿puedes explicarme semejante conducta?». «Claro que sí» —contestó el ingeniero ateo y brahmán—; «de hecho, es bien sencillo. Es verdad que yo no creo en Dios. Estoy personalmente convencido de que no hay Dios ni cosa que se le parezca. Pero... por si acaso... quiero asegurarme bien; y si al final resulta que sí que hay Dios, quiero tener las cuentas claras con él, y por eso le presento mis respetos a diario mañana y tarde, como un buen brahmán. Prudencia ante todo, ¿no te parece?».

Prudencia, desde luego; pero no demasiada. El buen brahmán, en mi opinión, llegó demasiado lejos en sus deseos de seguridad y precaución. Yo no creo, honradamente, que a Dios le agrade ese tipo de adoración. No creo que Dios disfrute obligando a la gente a arrodillarse y venerarlo por miedo y temor, aunque ellos no quieran hacerlo. Si crees, arrodíllate, sí, y adora con la sinceridad de tu corazón y la plegaria de tus labios; pero, si no crees, quédate donde estás y no hagas comedia. Más vale un ateo honrado que un creyente fingido. San Pablo, en la Carta a los Romanos, proclama el principio de que Dios juzgará según la Ley a aquellos que tienen la Ley (los judíos), y sin la Ley a aquellos que no la tienen (los gentiles), que es una manera bien clara de decir que Dios juzga a cada uno según sus sinceras convicciones. La conciencia de la persona es lo que cuenta en definitiva. Dios ve el corazón, y no se le engaña con la exhibición estudiada de rúbricas externas. Pensar que Dios pueda experimentar placer al ver cómo un hombre o una mujer se someten temblando a un ritual de oración por puro miedo, es, creo yo, indigno de Dios. Dios no es un Dios de coerción, sino de libertad.

Cuando oí por primera vez esta historia, la usé triunfalísticamente para demostrar la debilidad del ateísmo y la triste condición de sus seguidores. Denunciaba con regodeo lo inconsecuente de la conducta del ingeniero y su reconocimento implícito de Dios en medio de su insistente negativa. Es decir, yo usaba esta historia para inspirar miedo a creyentes con dudas de fe, para amedrentarlos y conseguir que permanecieran en el redil. Yo manipulaba sus sentimientos de inseguridad para garantizar su perseverancia. Mi intención era buena, pero caía yo en la misma trampa que el precavido brahmán: usaba el miedo para asegurar la conformidad. Se me había escapado el verdadero mensaje del incidente, que ahora comprendo. El sentido más profundo de la anécdota es, no cómo forzar a un ateo a que rece en contra de sus propias convicciones, sino, más bien, cómo liberar a nuestra mente de miedos que nos llevan a engañarnos a nosotros mismos y a tratar de engañar a Dios. La verdadera lección no es: «aunque no creas en Dios, rézale», sino: «si no crees en Dios, no le reces». Lutero dijo que la primera regla en la oración es no mentirle a Dios, y no podemos agradarle fingiendo sentimientos que no tenemos. Más le honra a Dios la sinceridad que la adulación.

Si estamos genuinamente convencidos de algo, tengamos el coraje de ser consecuentes en nuestra conducta. El ateísmo es un caso extremo, desde luego, y no lo defiendo en modo alguno como tal; pero sí tomo la historia como una parábola para aclarar un punto importante. El miedo no es buen consejero. En cosas pequeñas y actitudes menores, podemos encontrar, si analizamos nuestras vidas con sinceridad, que también nosotros nos inclinamos ante una costumbre, una norma o una conducta sin verdadera convicción interna, sólo para mayor seguridad —¡por si acaso!—, como hacía el astuto brahmán. Esa manera de obrar no nos honra y, a la larga, tampoco favorece los intereses de la verdadera religión.

Que en la Biblia el temor de Dios tiene un sentido positivo y equivale en la práctica al amor de Dios, resulta claro al analizar sus textos. La regla fundamental de la poesía hebrea es el paralelismo, es decir, la repetición de la misma idea en versos consecutivos con palabras distintas y el mismo significado. Las expresiones simétricas crean un ritmo que graba en la mente el sentido único con apelaciones diversas. Así se comprende la fuerza de los siguientes versos tomados del libro del Eclesiástico (2,15-16:

«Los que temen al Señor no desobedecen
    sus palabras,
los que le aman guardan sus caminos.
Los que temen al Señor buscan su agrado,
los que le aman quedan llenos de su Ley».

En esos versos tan claros, así como en toda la mentalidad que los inspiró, el amor y el temor son expresiones equivalentes que se complementan mutuamente, y cada una subraya un aspecto distinto de la única y suprema realidad que es Dios. Dios es Padre, y por eso lo amamos como hijos e hijas suyos; y Dios es también Señor, y el temor reverencial que su majestad inspira atempera nuestra familiaridad y profundiza nuestro respeto. El temor significa la transcendencia de Dios, y el amor su proximidad a nosotros. En ese contexto, sano y fructífero, el temor de Dios es en verdad el comienzo de la sabiduría.

Dieciséis postales

Recojo aquí algunos pequeños ejemplos que he observado yo mismo y en los que me parece que el aspecto del temor en la religión ha sido exagerado, mientras que el amor ha quedado relegado a segundo término, con lo cual se ha hecho aparecer a Dios más como a un tirano a quien temer que como un amigo en quien confiar. Esto es importante, porque nuestra vida es lo que es nuestro concepto de Dios; y nuestra relación con él, que se deriva del concepto que de él tenemos, es la que marca nuestra conducta y dirige nuestra vida. Si esa relación se basa en confianza y amor, florecerá nuestra personalidad, viviremos con alegría y moriremos en paz; pero si nuestra relación con Dios se rige por los recelos y el miedo, pronto se marchitarán nuestras almas, y seremos presa de todos los males que conlleva la inseguridad vital.

Hace tiempo, viví un año entero con un santo cura párroco que me contó la prueba a que el Señor lo había sometido poco antes de que yo llegara a su parroquia. Era un hombre muy metódico y trabajador, que cumplía con todos los deberes de su oficio con meticuloso cuidado. Pero el año anterior, según él mismo me explicó, había omitido la procesión pública del día del Corpus, sencillamente porque le dio pereza organizarla. La procesión había salido sin falta todos los años que él llevaba al frente de la parroquia, aunque costaba bastante trabajo prepararla. Tenía que convencer a la gente de que acudiera, preparar los vestidos y los pasos, ensayar con todos y cada uno lo que habían de hacer, comprar caramelos para repartírselos a los niños y niñas después de la función (él comentaba con un toque de resignado realismo que los caramelos eran la base de la procesión), y presidir luego él mismo la larga ceremonia bajo el sofocante calor. Lo había hecho fielmente cada año, pero en aquella ocasión, y por primera vez, se había sentido viejo, le había dado pereza, se olvidó del asunto, y no hubo procesión... ni caramelos. Y no sólo no hubo la menor protesta, sino que nadie pareció darse cuenta de que la procesión había sido suprimida, y la fecha pasó sin pena ni gloria.

Poco después, sin embargo, se produjo un triste incidente: unos ladrones entraron de noche en la iglesia, forzaron la puerta del tabernáculo, robaron los vasos sagrados y profanaron la Eucaristía. La consternación se apoderó de los feligreses, y el sentido de culpabilidad hizo presa en la conciencia del párroco, que se apresuró a declarar en público: «Dios me ha castigado. Este año, faltando a mi deber, he suprimido por mi cuenta la procesión, y Dios nos ha enviado un terrible castigo que ni siquiera habíamos podido imaginar: la profanación de nuestra iglesia. La culpa es mía y sólo mía. Acepto el castigo divino, y prometo públicamente que nunca jamás volveré a suprimir la procesión. Rogad para que Dios tenga piedad de mí y me perdone».

Él era mucho mayor y más sabio que yo; pero, aun así, traté de hacerle ver las cosas de manera distinta. Yo no podía imaginarme a un Dios que, conocedor de la larga y fiel dedicación a su servicio de su devoto ministro, hubiera estado acechando para sorprenderlo en su primer fallo, y que, al primer descuido de éste, hubiera decretado el robo de la iglesia para humillar y desolar al párroco culpable. Semejante imagen de Dios, además de injusta, cruel e insultante, no es más que una mera proyección de los miedos y mezquindades del hombre sobre un Dios rebajadamente antropomórfico. Lo único que sabemos es que hubo dos sucesos: la supresión de la procesión y el robo de la iglesia; pero no tenemos ningún derecho a establecer una relación entre ambos y a decir que el primero fue causa del segundo. Sólo Dios lo sabe, y sus juicios son insondables. Es muy posible que hubiera otras parroquias en las que también se omitiera la procesión y en las que, sin embargo, no se produjera ningún robo. Por otra parte, ¿iba Dios a escoger una manera tan impía y humillante de castigar a un pobre sacerdote? Probé todos los argumentos que se me ocurrieron para consolar al buen cura, pero nada de lo que yo dije pudo cambiar su lógica ni aliviar su dolor. Él había pecado y había sido castigado. No volvería a suprimir la procesión jamás. Por lo menos, los niños tendrían caramelos...

Varias veces en mi vida, tanto en lecturas como en situaciones reales, me he encontrado con una actitud que a primera vista parece loable, pero que, en mi opinión, responde a un concepto equivocado de Dios y su justicia: una persona contrae una enfermedad, y alguien que la ama se ofrece a Dios para sufrir en lugar de dicha persona, a cambio de la salud de ésta. Puede tratarse de una madre y su hijo, o de dos amigos, o, según una hermosa leyenda india, de un súbdito leal y su rey... De hecho, se cuentan casos en los que tales trueques se han producido y tales peticiones han sido oídas; y cuantos escuchan el relato se impresionan y admiran la bondad de hombres y mujeres y la justicia de Dios. Una gran persona, a quien tuve el honor de conocer, refiere en su autobiografía, con encantadora sencillez y gran sentimiento, un caso real. Se trata de Gurudayal Mállikyi, que colaboró primero con Rabindranath Tagore, y luego con Mahatma Gandhi, como hombre de confianza de ambos, y en su nombre y bajo su dirección organizó el ingente servicio de ayuda a los refugiados que pasaron del Paquistán a la India cuando ambas naciones se separaron. Era una persona perpetuamente alegre y que solía entablar «diálogos» con su larga barba blanca en los que se combinaban la sabiduría del profeta y la chispa del humorista. En su juventud tuvo una experiencia que lo marcó, y así es como se la contó a Mukulbhai Kalarthi en su autobiografía hablada:

Eran los días de la plaga de Quetta, negra memoria de horrores medievales en nuestro propio siglo y en el recuerdo de gente que todavía vive. La enfermedad sin nombre se extendía con rapidez mortal por las llanuras del norte, arrasando pueblo tras pueblo bajo el manto siniestro de la muerte silenciosa. Nadie sabía quién habría de caer ni quién habría de salvarse. La muerte no tenía preferencias. Jóvenes y viejos, hombres y mujeres, fuertes y débiles...: cualquiera podía caer, y cualquiera podía salvarse. Bajo un mismo techo, morían tres y se salvaba uno, o morían todos, o se salvaban todos..., mientras la ansiedad mortal se cernía sobre todos los hogares con un mismo terror y durante días sin cuento. De repente, alguien empezaba a emitir un sudor agrio, le brotaba un tumor negro bajo una axila, y en pocas horas era cadáver. No había cura alguna. La gente moría callada, resignada, apagada...; y el problema en los pueblos no era cómo salvar a los vivos, sino cómo incinerar a los muertos. En medio de aquella pesadilla —recordaría más adelante Mallikji—, a una tía suya le alcanzó la plaga. Toda la familia se reunió a su alrededor, y su hermana, que era la madre de Mallikji, hizo en aquel momento esta sencilla y espontánea oración, que todos escucharon: «Señor, mi hermana tiene dos hijos pequeños que sufrirán mucho si su madre muere. En cambio, mis hijos son ya mayores y no me necesitan. Salvad a mi hermana y tomad mi vida a cambio. Os la ofrezco de buena gana». Y justamente eso fue lo que sucedió: la tía mejoró, le desaparecieron los síntomas, y pronto estuvo fuera de peligro. Al mismo tiempo, la madre de Mallikji contrajo los síntomas, enfermó y murió en pocos días. Su oración había sido oída, y su sacrificio aceptado. La heroica muerte de su madre impresionó tan vivamente a Mallikji que éste decidió consagrar su vida al servicio de los demás; y para hacerlo con mayor libertad y entrega, no se casó, y entregó su larga vida al servicio generoso de todos. El recuerdo de su madre le sirvió de inspiración constante en su noble trabajo.

Estamos pisando tierra sagrada, y hay que proceder con el mayor respeto y reverencia para tratar de entender lo que aquí sucede. Lo que hay, sin lugar a dudas, es fe profunda, amor desinteresado, sacrificio supremo, y la valiosa herencia de los mejores sentimientos que conoce la raza humana. Junto con ello, sin embargo, hay un concepto de Dios que no se corresponde con tan nobles sentimientos y que, de hecho, desentona de la armonía del conjunto. Dios aparece como un tirano cruel, a quien sólo interesa conseguir la víctima del día, sea quien sea. Una vida humana ha de ser sacrificada, y no importa de quién se trate, con tal de que alguien muera. Es algo semejante a lo que ocurría en los campos de concentración nazis, donde las autoridades aceptaban el canje de condenados a muerte, con tal de que el número total de víctimas fuera el mismo. Si Dios había escuchado en realidad la emocionante oración de la heroica madre, ¿no podía haber salvado a las dos hermanas como recompensa a su generosidad, llevando así la alegría a toda una familia con la bendición de su poder? Sólo Dios conoce sus propios juicios, por supuesto, y nada le impide transformar positivamente a largo plazo los sufrimientos y dolores presentes. ¡Lejos de nosotros el tratar de imponerle nuestros reducidos criterios! Pero lo que sí queda a nuestro alcance es examinar la actitud del hombre o la mujer hacia Dios; y a este respecto la cruda imagen que se desprende de este incidente es la de un Dios a quien sólo le importa su libra de carne humana, como al usurero Shylock de «El mercader de Venecia», venga de donde venga. Paga el tributo, y cierra la cuenta. Como dice un anticlerical proverbio hindú, refiriéndose al dinero a pagar por la ceremonia de la boda: «Que se muera la novia, que se muera el novio, pero que el cura perciba sus derechos». No pretendo en modo alguno enjuiciar las acciones de Dios, y siento además el más profundo respeto por los sentimientos y la conducta de todos los que tomaron parte en este episodio, y en particular me honro de mi amistad personal con Mallikji y puedo atestiguar la influencia que en toda su vida tuvo aquella herencia espiritual. Pero, al mismo tiempo, rechazo sin paliativos un concepto de Dios que lo reduce a una máquina de castigar. Es un concepto bastante popular y peligrosamente erróneo.

He conservado como muestra una de las diversas postales que he recibido y que forman parte de un mismo juego, al que personas que se tienen por religiosas juegan con mayor o menor regularidad. La postal no tiene firma, y dice: «Debe usted escribir dieciséis postales como ésta, con el nombre de 'la-Madre-fácil-de-agradar' en cada una de ellas, y rogar a cada uno de los destinatarios que envíen otras dieciséis postales semejantes. Si no lo hace usted, alguna desgracia le sobrevendrá enseguida. Hay personas que han muerto por romper esta sagrada cadena. ¡Para gloria de la Madre-fácil-de-agradar!» La Madre- fácil-de-agradar *(Santoshi Mata)* es una diosa muy popular en la India, cuyo amable nombre no parece haber sido entendido por sus devotos, los cuales amenazan con terribles calamidades a quien se atreva a romper la cadena de postales, que, al ritmo de dieciséis por una, pronto acabarían por inundar todas las oficinas de correos del país si ciertas almas fuertes no se aprestaran a desafiar la maldición... y a salvar los servicios postales. Yo he roto esas cadenas siempre que alguna anónima y bienintencioinada amistad ha tratado de convertirme en un eslabón de ellas, y gozo de perfecta salud. Lo que no puedo evitar es un gesto de rabia cuando recibo tales postales. ¿Por quién me toman? ¿Se creen que soy un cobarde como ellos? Si creen que voy a cooperar, ¿por qué añaden amenazas? Y si sospechan que me voy a negar, ¿qué les hace pensar que sus amenazas me van a forzar a ser devoto contra mi voluntad? ¿Y cómo pueden valorar en manera alguna semejante mascarada piadosa? ¿Qué valor puede tener para ellos una postal escrita por miedo? ¿Cómo pueden imaginarse que una diosa, por fácil de agradar que sea, ha de sentirse honrada por un montón de postales anónimas, forzadas, manchadas? Los que las envían saben muy bien que ellos mismos han sido víctimas de un indigno juego, sencillamente porque alguien sabía su nombre y dirección y les ha pasado el mochuelo; y todo lo que quieren es pasarle ellos el mochuelo a otro, con el agravio añadido del coeficiente multiplicador. La invocación pasa de mano en mano, como las cenizas del santón, hasta que alguien tiene el valor de echarlas al cubo de la basura. El ambicioso proyecto siempre se hunde. Las cadenas acaban por romperse. Cuanto antes, mejor.

Estos ejemplos revelan la limitación humana a la hora de entender lo divino. Nuestro entendimiento es finito, y nunca podrá abarcar la infinitud de Dios. A veces resaltamos más algunos rasgos de la divinidad, y a veces otros, ya que no podemos abarcarlos todos a un tiempo. El peligro está en que, al escoger aspectos preferidos de Dios, nuestros propios complejos nos lleven a fijarnos en los menos agradables, como proyección de nuestros miedos. Somos temerosos por naturaleza, y buscamos protección en ritos extremos. Queremos sentirnos seguros, y para ello dejamos a un lado juicios más serenos y nos inclinamos con peligrosa facilidad hacia conceptos deformados de Dios. Un Dios que canjea víctimas es, cuando menos, un Dios pagano, un Baal o Moloc que ha de ser apaciguado mediante la sangrienta ofrenda diaria, en ciega sumisión. Semejante concepto ni honra a Dios ni nos honra a nosotros. Si llamamos «Padre» a Dios, al menos concedámosle la oportunidad de actuar como Padre, no como tirano cruel e inhumano. Lo que a mí me sorprende es cómo hay personas que, con semejante concepto de Dios, siguen rezando y adorando a ese Dios y manteniendo la relación con él. Me imagino que es el miedo el que los atenaza y les impide abandonar determinadas prácticas religiosas, aun cuando en realidad éstas ya no tengan sentido para ellos. El miedo reemplaza peligrosamente a la devoción.

H.G. Wells *(In the Days of the Comet)* describe a una piadosa mujer con la frase «Para ella, creer era temer». Ése ya no es el temor bíblico, lleno de respeto, reverencia y amor, sino el miedo servil que degrada la fe en superstición, y la religión en ansiedad. Semejante actitud puede ir alejándonos taimadamente de la oración y adoración, y podemos encontrarnos, a la larga, con que se nos seca la devoción y vacila nuestra fe. Nuestra posesión más valiosa es el concepto que tenemos de Dios, y todo lo que empañe ese concepto debilita nuestra vida.

El pueblo de Israel había proyectado sus miedos sobre Dios de tal manera que temían acercarse a él y rehusaban hacerlo. Nosotros vivimos en un tiempo nuevo, el del «Dios-con-nosotros», y tenemos el privilegio y la alegría de ver cómo esa santa intimidad florece en nuestras almas con sencilla humildad y profunda gratitud. Que nuestras prácticas religiosas reflejen la belleza de nuestra fe.

La trampa de la seguridad

Al señalar cómo la inseguridad debilita nuestra postura y sacude nuestra vida, puede quedar la impresión de que la inseguridad es algo negativo, algo que hay que eliminar en la medida de lo posible, algo que nos ocasiona grandes daños y que, por consiguiente, ha de ser atacado, derrotado, sometido, hasta conseguir ese estado de continua seguridad interna que nos proporcione el equilibrio, la salud y la paz. Esta impresión es falsa, y es hora ya de corregirla y obtener perspectivas más amplias y verdaderas. No es posible acabar con la inseguridad; y, aunque lo fuera, no sería conveniente. No se trata de suprimir la inseguridad, sino de aprender a vivir con ella; no hay que desterrarla, sino domarla para que nos ayude positivamente a encontrar mejor nuestro camino y a vivir mejor nuestras vidas.

De hecho, es la seguridad la que puede resultar una trampa mucho más peligrosa. Lo dijo Shakespeare: «Todos lo sabéis: la seguridad es el mayor enemigo de los mortales». La seguridad es nuestro enemigo, porque nos adormece en una falsa autosatisfacción, tiende a dejar las cosas como están y nos vuelve perezosos. «Las cosas van bien, no hay nada que temer, todo está asegurado, no hay motivo alguno de preocupación...»: ésa es la declaración que nuestras mentes holgazanas están deseando oír. «Afloja los controles, tómalo con calma, no hagas esfuerzos, no hay que llegar más lejos. Baja la guardia y suprime la vigilancia. Ya hemos trabajado de sobra, y ahora sólo nos queda recoger el fruto de nuestro trabajo»: tal actitud es la mejor preparación para un fracaso mental y moral.

He vivido a lo largo de muchos años una experiencia que tipifica el papel destructivo de la seguridad en nuestro trabajo, y he sufrido al ver ese triste resultado de medidas bien intencionadas. Cuando yo entré a formar parte de la facultad de la universidad que ha sido mi hogar académico durante toda mi vida profesional, los nombramientos se hacían puramente por méritos, y el director podía despedir a un profesor con toda tranquilidad si éste no estaba a la altura requerida por la institución y los alumnos. Quejas repetidas de los alumnos, verificación por parte de las autoridades, el aviso consiguiente, otra oportunidad, espera, más quejas, tres meses adelantados de paga... y una vacante en la facultad. Todo el mundo lo sabía, y por eso todo el mundo se portaba lo mejor posible: los profesores preparaban las clases, hacían cumplir la disciplina, eran ellos mismos puntuales y eficientes, y la universidad funcionaba a gran altura, según su tradición y sus principios. Y todos estaban contentos. Hay varios elementos que se combinan para hacer que un buen profesor rinda el máximo: atmósfera académica, aprecio del talento, aplicación en los estudiantes, preguntas inteligentes, vocación íntima, dotes personales, capacidad de comunicar; pero, junto con todo eso, el recuerdo práctico de que el empleo de uno depende de cómo se porte en el trabajo es motivación indispensable para un esfuerzo prolongado.

Hoy esa motivación ha desaparecido. Cualquier profesor está absolutamente seguro en su cátedra desde el día de su nombramiento, y no hay poder de director ni quejas de estudiantes que puedan echarlo, por inútil que sea en clase. Hay reglas y sindicatos y huelgas y presiones, y la seguridad del profesor en su empleo es lo que ha de salvaguardarse por encima de todo. Así se hace. Y el nivel de la educación baja en consecuencia. La seguridad ha traído indiferencia, negligencia y estancamiento. Hay también otras razones, desde luego, en el complejo mundo de la educación; pero la seguridad del empleo ha sido el factor fundamental en el declive del trabajo académico entre nosotros. Soy triste testigo y víctima de esta realidad penosa.

Este mismo ejemplo puede ayudarnos a establecer un equilibrio más exacto entre la seguridad y la inseguridad, para bien de nuestra personalidad y de nuestro trabajo. La seguridad total congela el progreso; pero la inseguridad total puede también crear tales tensiones que la mente se resienta y el desarrollo personal sufra. A la sociología y la economía les toca debatir las ventajas y desventajas de la competencia frente al proteccionismo; entre tanto, la psicología toma la situación tal como está y trata de ver cómo la persona y el grupo pueden avanzar lo más posible en las circunstancias dadas. Que continúe la inseguridad, al menos moderada, y que la persona responda a ella desarrollando una mayor firmeza interior para hacerle frente y reaccionar al peligro de despido, no con pánico aterido, sino con un despliegue más eficaz de sus mejores cualidades y su verdadera energía. El peligro es un reto, y el reto es la ocasión que hace al individuo aguerrido sacudir la pereza latente y sacar a relucir todas sus fuerzas en la emergencia de la lucha. Quiero llegar a sentirme inseguro, no para acobardarme y huir, sino para despertar y surgir y acumular fuerzas y entrar en combate y alcanzar la victoria. Conozco mi situación y me enfrento a ella. Sé muy bien que a mis estudiantes no les importan las matemáticas, que el programa que he de enseñar espera que cada estudiante sea una encarnación de Einstein, cosa que no es ninguno de ellos, que lo único que quieren es pasar el examen sea como sea, mientras que lo único que el director quiere es disciplina en clase, silencio en los pasillos y premios en los exámenes finales. Y aquí estoy yo ahora para hacerme cargo de la situación. Ya van a ver... Conozco perfectamente la materia, sé cómo exponerla, cómo manejar a los estudiantes y motivarlos por su propio bien, y recibo con los brazos abiertos esta oportunidad para entregarme a fondo y probarme a mí mismo y al mundo lo que soy capaz de hacer. ¡Por lo menos aquí no va a aburrirse nadie!

La inseguridad continúa, pero ahora es un aliado, un incentivo, un motor que nos lleva a la acción, en lugar de paralizarnos con el miedo. Así aprendemos a valorar sus efectos positivos, e incluso llegamos a disfrutar la emoción de la aventura y el estremecimiento del peligro. Todo crecimiento conlleva riesgo, y el riesgo de la inseguridad puede animar el proceso de la vida. Un juego no tiene gracia si el resultado se ha fijado de antemano. Para disfrutar del juego de la vida hemos de abrirnos a las vicisitudes que nos trae día a día. La mejor manera de domar la inseguridad es aceptarla de corazón. Así entendida, la seguridad es la que da gusto a la vida.

Alan Watts va aún más allá: «La inseguridad es el resultado de buscar la seguridad». Y confirma su paradójica tesis con un rápido llamamiento al sentido común y a la sabiduría evangélica: «Cuando tratas de mantenerte a flote en el agua, te hundes; pero cuando tratas de hundirte, flotas. Cuando aguantas la respiración, la pierdes; lo cual nos trae inmediatamente a la memoria un dicho bien antiguo y muy olvidado: 'Quien quiera salvar su alma, la perderá'». Si mantengo las riendas tensas, yo mismo me pongo tenso y hago que el caballo, además del bocado entre sus dientes, sienta mi impaciencia en sus orejas. Cuanto más pretendo controlarlo, más rígido me pongo y más miedo siento a que pueda desbocarse y arrojarme por el precipicio; y mi miedo se le transmite a él al instante por la tensión de mis manos y el tono de mi voz, y la situación se vuelve cada vez más peligrosa. Por el contrario, sí me fío de mi caballo y le dejo usar su propio sentido y demostrar su lealtad, no se arrojará por el precipicio, ni a mí con él, sino que me llevará tranquilamente al punto de destino.

Si quiero asegurarme de que las cuentas son correctas, hago que otro contable verifique las cifras del primero.

Pero, si no me fío del primero, ¿por qué voy a fiarme del segundo? Mi miedo ha quedado manifestado al nombrar yo un segundo contable que vigile al primero, el cual, con la misma lógica, puede pedirme que nombre a un tercero que vigile al segundo. Las sospechas aumentan cada vez que actúo por sospechas. Estoy peor que cuando empecé. Ya no hay informe que me satisfaga. La seguridad total es imposible. Y si del vil ejemplo del dinero paso a asuntos mucho más sutiles e importantes y más allá de toda verificación, como son los asuntos del espíritu y sus principios y creencias y acción y conducta, me encuentro con que la seguridad se me escapa, y cuanto más seguro quiero sentirme, menos seguro me siento, con lo que mi búsqueda de garantías se convierte en una denuncia de mi debilidad. Mis ansias de seguridad sólo sirven para descubrir e intensificar mi inseguridad, al tratar de evitarla. Haga los esfuerzos que haga, nunca conseguiré seguridad plena; y una seguridad que no es plena deja de ser seguridad. De modo que mis esfuerzos sólo sirven para subrayar mi fracaso, y me encuentro más inseguro al final que al principio de mi campaña contra la inseguridad.

Para mí, éste es el sentido profundo y el valor último de la fe en nuestra vida. La fe es, en la práctica, la capacidad de vivir en un mundo de dudas bajo la promesa de la verdad. La fe no suprime nuestra condición humana, nuestra visión limitada, nuestra innata debilidad, pero sí nos da poder para andar por donde el suelo no es firme, para ver donde el aire no es claro, para desplegar las velas cuando el mar no está en calma; poder para esperar en medio del desánimo, para amar en medio de la indiferencia, para sonreír en medio del dolor. Seguimos plenamente en este mundo, con nuestra finitud, nuestras limitaciones y nuestra inseguridad, pero alcanzamos un destello de esa verdad, que es clara y firme y eterna; y ese delicado rayo de luz basta para dirigir nuestros pasos a través de las tinieblas que nos circundan. La fe no es una póliza de seguros, sino una ardiente aventura; no es un tranquilizante, sino un reto; no es un lecho de rosas, sino un frente de batalla. La fe no aparta el velo del misterio, pero nos enseña a mirarlo con asombro y esperanza. La suprema virtud de la fe es la que prepara a la mente para enfrentarse a los riesgos de la vida sobre la tierra bajo la amorosa mirada de Dios.

Conocí a un sacerdote que, hasta el final de su larga vida, se confesaba todos los días del año. Lo que le llevaba a diario al confesionario no era, según su propia explicación, necesidad o escrúpulo, sino el deseo de no morir sin haber recibido el sacramento de la reconciliación en las últimas veinticuatro horas de su vida. Quería un perdón reciente, justo antes de marcharse. Se entiende el deseo, aunque no dejara de tener sus inconvenientes. Aparte del notable esfuerzo de imaginación que necesitaría hacer para encontrar alguna autoacusación de cierta entidad cada veinticuatro horas, y de las molestias causadas al paciente confesor, y sin desestimar en manera alguna la piedad indudable del penitente y su aprecio práctico del sacramento, a mí se me antojó que su perseverante observancia escondía un malentendido latente. Él quería asegurarse por encima de todo, no quería exponerse en manera alguna, quería forzar la mano de Dios para conseguir entrar en el cielo fuera como fuera; no se fiaba de la misericordia de Dios, no quería dejar ningún cabo sin atar, y pretendía llegar a las puertas del cielo con todos los papeles en regla, con los certificados firmados y sellados para entrar a toda costa en las mansiones celestiales. «Podré haber pecado, pero aquí está el perdón oficial con fecha de hoy. Abrid las puertas y llevadme a mi puesto. Tengo derecho a ello, pues tengo todos los documentos en regla...».

He exagerado para mayor claridad; pero ésa era, a mi modo de ver, la dirección que seguían los pensamientos de aquel perfeccionista espiritual. Y esa dirección es engañosa, para empezar, y falsa, para acabar. La confesión no está para darnos seguridad con el gesto oficial; más bien al contrario: al tener que confesarnos, admitimos nuestra necesidad de ser perdonados, necesidad que no desaparecerá hasta el fin de nuestros días, mientras dejamos nuestro futuro en las manos de Dios con plena confianza en su amorosa misericordia. Nuestra salvación no está en demostrar nuestra inocencia, sino en declarar nuestra falta de méritos. En la terminología que venimos usando, nuestra garantía no está en conseguir la seguridad, sino en aceptar la inseguridad. Ése es el núcleo de nuestra fe.

La urgencia del placer

Aprender a vivir con inseguridad implica aceptar que vamos a tenerla de por vida, observar sus efectos en nosotros y, una vez conocidos, reforzar los positivos y neutralizar los negativos. He aquí algunos de esos efectos negativos, para enfocarlos y corregirlos.

La inseguridad nos lleva a querer obtener el máximo placer de todo lo posible, y esa tendencia, a la larga, se vuelve contra uno y acaba destruyendo el placer que busca. Si no obtengo el máximo placer, quedo frustrado; y si lo obtengo, pronto me harta. Si tengo apetito y me quedo sin comer, siento hambre; y si me entrego a satisfacer el instinto con exceso, me indigesto y aborrezco la comida. La necesidad exagerada del placer total me priva del placer moderadamente posible. Siempre necesito disfrutar lo más posible, pasarlo en grande, agotar las posibilidades de cada fiesta. No me satisface un espectáculo de segunda, siento por dentro que a mí se me debe lo mejor, y me considero estafado si no me lo dan. Soy el primero en caer en la cuenta de que esta sed desbocada de placer resulta contraproducente y me aparta del placer, y por eso quiero controlarla y dominarla. Y, para ello, lo primero que necesito es entender de dónde viene esa intensa sed de placer.

Viene precisamente de mi inseguridad. Sé que el placer no es fácil de obtener; por eso, cuando se presenta, siento la necesidad compulsiva de sacarle el jugo hasta la última gota. Si me aseguraran —no sólo en mi mente consciente, que lo sabe muy bien en teoría, sino en mi oscuro subconsciente, que por instinto teme lo opuesto— que los buenos tiempos volverán, y las ocasiones de placer no faltarán en el futuro, podría tomarlo con calma y disfrutar tranquilamente esta ocasión sin volcarme en ella como si todo el placer de toda mi vida hubiera de venirme de esta sola oportunidad. Si me sintiera seguro, podría planear mis días, espaciar los placeres, esperarlos en paz y reconocer los pequeños momentos de la vida como mensajeros de los grandes, en lugar de tratar de convertir cada pequeño gozo en una celebración histórica. Pero sigo sintiéndome inseguro, y me aferro a cada instante de placer como si fuera el único de mi vida; y, al hacerlo, echo a perder el genuino placer que podría haber obtenido si hubiera tenido el alma en paz.

Este triste instinto lo hemos heredado de nuestros antepasados. El hombre y la mujer primitivos llevaban una existencia precaria y nunca sabían de dónde ni cuándo iba a llegarles el siguiente almuerzo. En semejantes circunstancias, es natural que comieran cada vez todo lo que físicamente podían, para así evitar el hambre en el caso de que la siguiente comida tardara en llegar. Para ellos era una necesidad existencial el sacar lo más posible de cada comida y de cualquier otro tipo de placer, porque la vida era incierta y el entorno hostil. Esa inseguridad radical les hacía entregarse con fruición posesiva al alimento y al placer, por la necesidad aguda de la satisfacción inmediata. No podían confiar en el futuro. Había que comer hoy lo más posible del venado recién abatido, a fin de prevenir el hambre que podía venir mañana.

Nosotros tenemos una mayor seguridad alimenticia, nuestras cocinas y mercados funcionan bien, y sabemos con certeza que a la hora establecida tendremos una mesa preparada y comida caliente para alimentarnos como es debido. Sin embargo, el instinto ancestral está todavía inscrito en nuestros genes y nos incita a comer más de lo que necesitamos, como si no hubiera de venir otra comida en mucho tiempo. Por fuera, manejamos con exquisitos modales el tenedor y la cuchara y comemos en platos de porcelana; pero, por dentro, el salvaje primitivo sigue engullendo a toda prisa trozos de carne cruda hasta atascarse, en previsión de los días de escasez que tal vez le aguarden. Apetito irracional en una sociedad sobrealimentada.

Cuando estaba yo haciendo la carrera de ciencias exactas en la universidad de Madrás, había en sus jardines una gran jaula con una enorme serpiente pitón, extravagante animalito doméstico de un intrépido catedrático de inglés. Era totalmente inofensiva, y yo, como todos, me sometí también al rito temerario de sacarme una foto con la pitón colgándome del cuello, gruesa como un neumático de camión, pesada como un saco de piedras y dura como el hierro. Había un letrero fuera de la jaula que invitaba a los estudiantes: «Trae un *bandicoot*». El *bandicoot es* un roedor gigante de la India, plato favorito de la serpiente pitón. El suministro variaba. Un día llegaban varios estudiantes con sus enormes ratas cautivas, y luego pasaban días sin que nadie le llevara nada. La pitón seguía la regla de la selva: comía cada día todo lo que le llevaban y esperaba tranquilamente cuando no le llevaban nada. La diferencia entre la pitón y nosotros era que ella, cuando había tenido un festín colmado, se pasaba después varios días sin probar bocado, aunque se lo ofrecieran repetidamente. Su guardián, que la conocía bien, solía decir: «No le apetece. Hoy no comerá. Vuelve mañana». Y la serpiente continuaba con su ayuno penitente. Nosotros, por el contrario, aunque nos hayamos excedido en una comida, volvemos a sentarnos obedientemente a la mesa cuando llega la hora de la comida siguiente, y comemos otra vez aunque no tengamos necesidad ni apetito. Seguimos el reloj, no el estómago; combinamos, desgraciadamente, la ansiedad del hombre primitivo por comer cada vez lo más posible con la rutina del hombre moderno de comer a horas fijas cada día. Y nuestra salud lo paga.

El comer es sólo un ejemplo. La misma tendencia a querer aprovechar al máximo cada ocasión de placer, porque no estamos seguros de cuándo vendrá la siguiente, se aplica de igual manera a todas nuestras actividades, incluso en las áreas más espirituales, como son las de la amistad y el amor. Cada reunión entre amigos ha de ser un éxito; cada fiesta ha de ser disfrutada con frenesí; cada conversación ha de ser atesorada con emoción o, de lo contrario, ambas partes se pondrán a sospechar enseguida que algo no funciona en su amistad. La misma inseguridad en su relación y dependencia mutuas les obliga a conseguir que cada encuentro sea memorable y puedan decirse uno al otro al final: «Fue maravilloso, ¿no es verdad?». Si los dos amigos tienen seguridad y confianza en su mutuo amor, no necesitarán lograr cada vez una cumbre emocional, sino que aguantarán silencios y tolerarán aburrimientos, y podrán combinar la cercanía permanente con distanciamientos pasajeros en el delicado juego de la intimidad afectiva. La inseguridad nos hace tratar de apresar todo cuanto se nos acerca, por miedo a perderlo. Esta necesidad compulsiva de aferrarse a las cosas, a las situaciones y a las personas, para asegurarse de gozar de todo ello ante el miedo a perderlo, es uno de los efectos más negativos de la inseguridad, del que debemos guardarnos mientras vivamos en este mundo donde nada es seguro. Suprimir este reflejo es como quitarle el aguijón a la inseguridad.

Ésta es, mirando las cosas desde más altura, la paradoja misma del amor. Te amo, y te dejo entera libertad. Primero siento que no puedo vivir sin ti, y por eso, en nombre de mi amor, quiero retenerte, apresarte, asegurarme de que nunca me dejarás y de que siempre estarás cerca de mí. Pero, al hacerlo, pronto caigo en la cuenta de que estoy destrozando nuestro amor, y que pretender retenerte por la fuerza es la mejor manera de perderte. Y así aprendo a vivir el riesgo supremo que es la esencia misma del amor y, en consciente y generoso sacrificio, te dejo enteramente libre para quedarte o marcharte, para hablar o callar, para que me mires a los ojos o te olvides de mí. Ésa es la más íntima inseguridad de la vida; y en esa inseguridad, conocida y aceptada, temida y disfrutada, está la prueba, la dignidad, la plenitud del amor en toda su belleza y su poder. No puedo vivir sin ti, y por eso mismo tengo que dejar que tú seas tú, es decir, que seas enteramente libre, con el riesgo y la esperanza de que en tu libertad encontrarás tu propio ser y mi amor en él, y permanecerás conmigo libremente, para gozo de ambos. El desprendimiento es, paradójicamente, el único y verdadero camino de poseer en la amistad.

Otro aspecto del mismo tirón de la inseguridad hacia el placer compulsivo y la posesión segura es el deseo de protegernos convenciéndonos a nosotros mismos de que nuestras ideas, nuestro grupo, nuestros usos y costumbres... son los mejores, para facilitarnos la permanencia en ellos. La etiqueta de «lo mejor» se usa para eliminar la tentación de ceder a «lo inferior». Escribe Alan Watts: «Buscamos seguridad cerrándonos y fortificándonos de muchas maneras. Deseamos contar con la protección que supone la 'exclusividad' y la 'especialidad', con la seguridad de pertenecer a la iglesia más segura, a la nación más poderosa, a la clase más alta, al grupo mejor aceptado, a la buena gente... Tales defensas causan divisiones entre nosotros, lo que conduce a una mayor inseguridad que necesita más defensas. Y todo esto lo hacemos con la sincera convicción de que estamos tratando de hacer las cosas lo mejor posible y vivir de la mejor manera». La manía de obtener siempre lo mejor es parte de la tendencia a afianzar la seguridad. Quiero asegurarme de que lo que estoy haciendo es lo mejor, para no tener que preocuparme por comparaciones o críticas. Permanezco seguro en el aislamiento de mi elección indiscutible.

Todavía sufro cuando tengo que escoger un libro para leer o un disco para escuchar, porque quiero asegurarme de que el libro es el más oportuno para mí en ese momento, y el disco es el que más me va a agradar. Ese querer lo mejor no es cuestión de orgullo ni de snobismo, sino que tiene que ver con la necesidad a que me he referido de obtener siempre el mayor placer posible, para rodearme de una muralla de excelencia insuperable. No caigo en la cuenta de que, al intentar reforzar mi seguridad, no hago más que exponerme a una mayor inseguridad. Al insistir en lo mejor, me ataca la duda de lo que aún podría ser mejor. ¿No habría sido mejor ese otro libro? ¿No encajaría mejor con mis sentimientos en este momento Bruckner que Brahms? El cuento de nunca acabar... La sana actitud que trae la paz consiste en escoger lo que razonablemente me atrae en ese momento, sabiendo perfectamente que hay otros autores y otros libros y otros trabajos que son igualmente aceptables, que las opciones permanecen abiertas, y que la vida sigue. Me encanta Mozart, pero no voy a estar escuchando todo el rato a Mozart...

Bastón de viejo

La inseguridad nos lleva a buscar apoyo en los demás: el grupo, la multitud, la institución... El individuo no puede subsistir por sí mismo, y por eso busca la ayuda de otros. ¿Quién puede permitirse ser original en su pensamiento, libre en sus principios, independiente en su conducta...? Pocos hombres y mujeres, y no sin grandes riesgos. La mayoría siguen el modelo que les ha trazado la sociedad en que nacieron, y encuentran seguridad en saber que hacen lo que todos hacen y que piensan como todos piensan. Este proceso, que comienza en la infancia y acaba en la vejez, se agudiza en ambos extremos. Entre medias, los altos y bajos van formando la personalidad del sujeto, con sus ataques de independencia y sus períodos de conformismo. La persona es lo que la interacción con su entorno intelectual y afectivo hace que sea.

La primera dependencia del niño o de la niña es de su madre, y ésa es la idea con que ha comenzado este libro. A medida que el niño o la niña desarrollan su capacidad de pensar, hablar y actuar, se van identificando con su familia, y pronto aprenden de ella su manera de ver las cosas, de sentirse atraídos o no por ciertas personas o ideas, de aceptar ciertas actitudes y no otras... «Esto se hace, y esto no se hace»; «Así es como lo hacemos en casa y como debería hacerse en todas partes»... El niño y la niña adquieren sus primeras coordenadas. Ya saben lo que es bueno y lo que es malo como marcas esenciales en el campo de la vida.

De visita en casa de un amigo, noté que el televisor estaba en un rincón, y el pequeño de la familia estaba mirando con gran atención un programa de propaganda electoral con partidos políticos rivales. Cuando un orador y su séquito aparecieron en la pantalla, el chico preguntó a su padre: «Papá, ¿son éstos los buenos?». Su padre respondió: «No, ésos son los malos, pero son los que van a ganar». Breve lección de teoría política. No hay pruebas ni argumentos. El chico sabe el nombre del partido, y sabe que éstos son «los malos». También sabe que «los malos» van a ganar las elecciones. Temprano pesimismo político. No discutirá con su padre, no pedirá razones, no dudará del veredicto. Éste es el punto de vista oficial de la familia y, por consiguiente, su propio punto de vista. Él pertenece a la familia, y el aceptar el código familiar es la condición, secreta pero firme, para recibir el cuidado y protección que la familia le proporciona.

La separación de ideas viene más tarde. A medida que crecen, los jóvenes se sienten progresivamente en desacuerdo en muchas cosas con sus padres. Quieren más libertad de la que se les da, usan un lenguaje al que no están acostumbradas las paredes de su hogar, invitan a amistades que no encajan en la familia... Los padres no parecen compartir los gustos, sensibilidades y aspiraciones de los hijos. Crece la tensión en el hogar, se alargan los silencios entre las dos generaciones, y la comunicación queda reducida a mensajes esenciales. Esta situación ocasiona un importante cambio: los jóvenes ya no encuentran seguridad en casa; no se fían de sus padres, están convencidos de que nadie los entiende, y temen por su futuro. Pero siguen necesitando imperiosamente seguridad y, al no encontrarla ya en casa, la buscan en su grupo de amigos y amigas. Se reúnen con ellos, visten como ellos y hablan como ellos, y eso les da una sensación de seguridad a la que se aferran desesperadamente. Los padres se desesperan y no entienden el súbito distanciamiento de sus hijos. Les repiten a ellos y a todos cuantos quieran oírlos que esa seguridad de joven a joven es artificial, floja, efímera y traicionera; que los hijos están mucho más seguros con sus padres, que los aman y que tanto han hecho y están dispuestos a hacer por ellos; que esos amigos y amigas son algo efímero y que los abandonarán a la primera dificultad; que ellos mismos abrirán pronto los ojos y se darán cuenta de que lo mejor que pueden hacer es volver a fiarse de sus padres, pero que temen que, para cuando lo vean y se arrepientan, sea ya demasiado tarde, y el daño causado sea irreparable.

Es duro para los padres admitir que su hijo se siente más seguro con sus compañeros que con ellos. Y los padres tienen razón; pero la realidad de los sentimientos de los jóvenes tampoco puede negarse y ha de ser tenida muy en cuenta para entender su mentalidad. El joven ansía tener seguridad, y la encuentra identificándose con el grupo, siguiendo la moda, imitando gestos, gritando alto y hablando recio. El grupo le da una sensación de seguridad, falsa desde luego, pero para él cercana y tangible. Nunca está solo. Siempre se mueve en grupo. En la calle, en la universidad, en los mil lugares de diversión en que se fuma y se bebe de manera compulsiva, siempre está rodeado de otros como él que buscan el apoyo mutuo en la debilidad común. Por eso, cuando está en casa, el joven necesita tener un teléfono a mano para renovar el contacto con otros que lo necesitan tanto como él. Y luego vienen los grandes espectáculos, en los que miles de jóvenes se postran ante el altar de la juventud, saltan juntos, gritan juntos, se cimbrean juntos y aplauden juntos, al mismo ritmo y con la misma música. Sea lo que sea lo que estos jóvenes adoradores buscan en esas liturgias dionisíacas, una cosa sí obtienen, al menos durante la efímera experiencia, y es el sentido de unidad, de poder, de seguridad... que inspira la misma fuerza del número. Estamos en buena compañía...

Más tarde o más temprano, el joven y la joven comprenden que el grupo no les puede dar la seguridad que necesitan. No pueden andar siempre desgreñados y haciendo tiras sus vestidos. Necesitan asentarse de alguna manera. Necesitan el apoyo de la institución. Necesitan la seguridad económica de un empleo y la seguridad afectiva de una pareja. Y en esto cuentan con el apoyo implícito de los millones de jóvenes que antes de ellos han buscado un empleo y se han casado. Herederos de tradiciones de siglos, la historia los protege, y el género humano marca su rumbo.

Un empleo seguro es símbolo e instrumento de la estabilidad que todos buscamos. Proporciona posición social, respetabilidad, un título en la tarjeta de visita y una cuenta en el banco. Todas éstas son constantes que definen las actividades y garantizan el bienestar del hombre y la mujer modernos. En la India, a la gente le encanta trabajar en un banco; mejor dicho, no les gusta trabajar en un banco (se me hace difícil concebir que a nadie le guste semejante cosa), pero les gusta decir que trabajan en un banco. Un banco es el símbolo radical de seguridad y permanencia en una sociedad en la que todo lo demás parece fallar. Los edificios gigantescos, la caja fuerte, las ventanillas sin fin, los fajos de billetes... Trabajar en un banco es vivir junto a dinero contante y sonante, conocer los misterios de la conducta económica del hombre y la mujer, financiar proyectos y asegurar la vida. Los negocios fracasan y las industrias cierran, pero los bancos permanecen. El empleo más seguro en la institución más firme. Orgullo y satisfacción. Tranquilidad de por vida. Una buena pensión al jubilarse después de una vida de servicio. Y hablo del banco como figura, pero lo mismo podría decirse de cualquier otro trabajo estable. Logra el empleo y échate a dormir. Tienes un sitio a donde ir, un trabajo que hacer y un sueldo que ganar. No es extraño que hasta los jóvenes más rebeldes acaben rellenando y firmando la consabida instancia. A fin de cuentas, hay que ser práctico...

Hay que ser práctico..., y por eso la gente acaba también casándose. Por amor, por los hijos, por la familia... y por la seguridad de un hogar, compañía y apoyo de por vida. O bien, como en mi caso, uno entra en la vida religiosa, y, junto con la llamada de Dios y el deseo genuino de pertenecerle del todo y servir a los demás en su nombre, ¿no funciona también la necesidad no expresada de una vida tranquila y segura, lejos de preocupaciones terrenas y asuntos materiales? En realidad, la vida en una casa religiosa es una de las más seguras del mundo, y además tiene promesa de vida eterna. La institución vuelve a proteger al individuo y le ofrece caminos tradicionales y medios seguros para vivir en paz con Dios y con los hombres y mujeres. Sé muy bien que la vida religiosa es un reto y un riesgo; pero no olvido que es también refugio y protección.

La religión misma, con sus creencias y sus prácticas, no deja de tener también ese aspecto de seguridad que busca el ser humano en su existencia terrena. Junto con el amor puro y la entrega desinteresada, está también el deseo, legítimo pero inferior, de asegurarse la aprobación de Dios en esta vida y en la otra, y es justo que tengamos esto también en cuenta. La institución religiosa da seguridad, y en eso contribuye al bienestar humano. Pero hay un doble peligro en ello: de parte de los fieles, el buscar ante todo seguridad en sus incertidumbres; y de parte de las autoridades, el abusar de esa necesidad de seguridad para forzar la obediencia. Conozco a gurus que prometen la salvación bajo condiciones que varían desde algún tipo de contribución económica hasta la obligación de llevar colgada al cuello la imagen del guru en cuestión; y conozco a gente seria, culta e inteligente que da el dinero y se cuelga al cuello la imagen para asegurarse la salvación. Es el encuentro de dos necesidades, con un triste resultado: la necesidad del guru de tener discípulos y la necesidad de los discípulos de contar con un guru. El guru estará seguro en su trono mientras tenga discípulos, y el discípulo estará seguro en su vida mientras obtenga la bendición del guru. Se trata, a fin de cuentas, de la seguridad de ambos, sin mérito espiritual de nadie. La verdadera religión no exagera la motivación de la seguridad.

He dejado dicho que la búsqueda de la seguridad se agudiza en los dos extremos de la vida humana, el nacimiento y la muerte. Y ello se debe a que es entonces cuando la persona se encuentra más desamparada. Con la vejez vienen la debilidad física, los achaques, la dependencia de los demás, las dudas sobre la existencia pasada y el miedo a lo que aún está por llegar. Por eso en la edad avanzada se vuelve con frecuencia a la tradición, a la institución, a las ideas conservadoras y a las prácticas seguras. Como me dijo un anciano que, después de aparentar ser durante muchos años un ateo práctico, había vuelto al final a la fe y a la oración: «No puedes permitirte reñir con el maestro cuando se acerca el examen».

En un jardín cercano a mi residencia se reúne todas las mañanas un grupo de ancianos de la vecindad, y con frecuencia paso a su lado en mis paseos y los saludo. Alguna vez me he sentado también con ellos a conversar un rato. Un día me leyeron unos versos que había compuesto uno de ellos y que todos recitaban con placer. Decían así:

«De pequeño caminaba de la mano de mi madre;
de mayor, de la de mi esposa;
de viejo, me apoyo en mi bastón.
Nunca he caminado solo».

Ésa es la condición humana. La seguridad es un bastón de viejo. Para emplearlo cuando es necesario y para prescindir de él cuando no lo es. El bastón de viejo nos ayuda a andar..., pero no a correr.

Pequeños miedos

Me había olvidado de echarle el candado a mi bicicleta. La había dejado en la calle, contra la pared de la casa en que iba a pasar la noche. Estaba cerca de la puerta, pero sin candado, como cualquiera podía ver. Recordé lo que había pasado: cuando me bajé de la bici, vi a la niña pequeña de la familia, que estaba jugando en medio de la calle; o, mejor dicho, me vio ella a mí, dejó a un lado sus juegos y vino corriendo hacia mí con los brazos abiertos. Me dio tiempo justo para apoyar la bici en la pared, volverme hacia la pequeña, recibir en mis brazos el dulce impacto de su cuerpecillo jadeante, levantarla en brazos y entrar en la casa con ella abrazada a mi cuello y llenando el aire con sus risas. Una bienvenida tan cariñosa tenía preferencia sobre todo lo demás y me hizo olvidar la precaución elemental de echarle el candado a la bicicleta, que quedaría abandonada en la calle toda la noche. Los robos de bicicletas son muy corrientes, por desgracia, ya que todo el mundo las necesita, e incluso facilitan al ladrón la huida sobre dos ruedas, mientras el propietario se queda a pie maldiciendo su descuido.

Mi bicicleta estaba en buen uso. Incluso tenía luz automática para la noche, con lo cual podía fácilmente atraer la atención de cualquier coleccionador furtivo de bicicletas. Estos pensamientos me rondaban por la cabeza mientras daba vueltas en la cama por la noche tratando de dormir, sin conseguirlo. Los dueños de la casa me habían puesto una esterilla para dormir en el balcón, ya que era verano y hacía mucho calor. Yo había agradecido el detalle, pero ahora caía en la cuenta del problema que ello suponía: si quería bajar para poner el candado, tenía que pasar por la habitación en que dormía el matrimonio, despertarlos, explicarles la situación y pedirles que me abrieran el portón de la calle. Me juré a mí mismo que no lo haría. Mis amigos eran la amabilidad personificada, y en la India el sentido de aislamiento requerido por la intimidad es mínimo, por lo que no les importaría que yo interrumpiera su sueño, y volverían a dormirse al instante sin preocupación alguna. Pero yo, con mis complejos occidentales, no lograba reunir fuerzas para despertarlos y abogar por mi bicicleta a media noche. Más valía perder la bici, si llegaba el caso. Pero aún quedaba el problema candente: no podía dormir. Mi cuerpo se revolvía impaciente sobre la delgada esterilla en el balcón, pero mi mente estaba en la calle, haciendo guardia junto a la bicicleta, a la que ni siquiera podía ver desde arriba. ¿Estaría allí todavía?

En plena derrota mental, me volví a la oración. Dios conocía, sin duda, mi angustia; sabía que yo necesitaba el sueño para descansar por la noche, y mi bici para ir a la universidad al día siguiente. Con su providencia y su poder, él podía perfectamente vigilar mi bicicleta, distraer la atención de merodeadores y preservarla por una noche. Eso era todo lo que yo pedía. Seguro que Dios apreciaba mi confianza en él y mi delicadeza en no querer molestar a mis amigos dormidos. Él cumpliría su palabra de oír mi oración, y a la mañana siguiente yo me regocijaría al comprobar la acción de su providencia y ver la silueta de mi bici, y —prometido— nunca más volvería a olvidarme de ponerle el candado por la noche. Ahora podía dormirme tranquilo.

Pero no me dormía. Y entonces me asaltó otro pensamiento más fuerte. Pensé que estaba usando la oración como un escape. No podía dormir y, como en el balcón solitario no había tranquilizantes a mano, me había tomado la píldora de la oración. Había recurrido a Dios para que hiciera de candado. Habría cierta fe y devoción en ello, pero también había algo de escapismo. Era culpa mía exclusivamente haber dejado la bicicleta sin protección a la intemperie la noche entera, y no era justo que, en un alarde de piedad, tratara yo ahora de meter a Dios en el asunto, cuando de lo único que se trataba era de mi inseguridad y mi descuido. Si algo debía yo hacer, era aprender de mis errores para no repetirlos. Examiné mi conciencia con sinceridad y reconocí que, en el fondo, yo no creía que Dios fuera a enviar a sus ángeles para cuidar de mi bicicleta y espantar a los ladrones. Ni siquiera estaba seguro de que a la mañana siguiente encontraría la bicicleta en su sitio. Lo que yo había pretendido en aquel momento, ante el fantasma incómodo del insomnio, era conseguirme una tapadera rápida, un truco psicológico que tranquilizara mi mente y me procurara el sueño. Este descubrimiento me sacudió aún más que el miedo a perder la bici. Estaba usando la oración para acallar la ansiedad, refugiándome en una actividad espiritual para paliar un problema mental, en lugar de llamarlo por su nombre y atacarlo directamente. No tengo valor para despertar a mis amigos, y apelo a Dios para que lo arregle todo con su omnipotencia. No es justo. Dios está ciertamente dispuesto a ayudarme, pero también espera que yo haga todo lo que está en mi mano. Tengo que volver a pensarlo todo y enjuiciar de nuevo la situación.

Y así lo hago. Tengo dos opciones: o bien no molesto a mis amigos, me quedo sin dormir y me arriesgo a perder la bicicleta, o bien los despierto, bajo a la calle, pongo el candado y me duermo. Cuando las defino tan claramente en mi pensamiento, la elección se hace evidente. A fin de cuentas, lo que me impide levantarme y despertar al matrimonio es mi propia timidez y mi orgullo de que yo nunca he de causar molestias a los demás, mientras que, de hecho, sé que para ellos eso no significa molestia ninguna. Mucho más se molestarán si mañana descubren que me han robado la bici mientras yo me alojaba en su casa. Me da vergüenza decirles ahora que me olvidé de echar el candado, pero mucha más vergüenza me dará confesar mañana que me la robaron porque no me atreví a decírselo por la noche. No puede ser más claro. Arriba, pues, pasa a su habitación, despiértalos suavemente, baja a la calle y echa el candado a la bici... Por fortuna, estaba todavía en su sitio. Toda la hazaña no duró más de dos minutos. Volvimos todos a la cama al instante, nos olvidamos del incidente y dormimos tranquilos. También la bicicleta durmió tranquila. El candado era bien sólido.

Aprendí varias cosas aquella noche en el balcón testigo de mis desvelos. Yo no podía dormir porque tenía miedo. Cuando la vibración del miedo roza la mente, al instante rompe equilibrios y arroja sombras. El miedo ahuyenta la paz. La frágil armonía de la mente ha sido rota, y el sueño no llega. El miedo rompe el ritmo de la naturaleza y ataca los tejidos del cuerpo. El miedo nace en la mente, pero su influjo llega a nervios y músculos y pulso y aliento. Hace que un hombre hambriento pierda el apetito, y un soñoliento el sueño. No hay razonamiento ni argumento ni ejercicio rítmico ni música sedante que pueda traer el sueño a una mente temblorosa. Los efectos deprimentes del miedo en la mente quedan marcados y explicitados en sus efectos sobre el cuerpo. El miedo destruye, enerva, paraliza. Si apreciamos nuestra salud mental y corporal, hemos de hacer lo posible por desterrar el miedo de nuestras vidas.

También aprendí que con frecuencia encubrimos nuestros miedos y atacamos únicamente sus síntomas, con lo que las raíces permanecen y el daño continúa, y aumenta más todavía bajo los remedios ineficaces. Buscamos compañía, nos distraemos, racionalizamos, rezamos... Todo eso está muy bien, pero no llega al remedio insustituible de enfrentarse al miedo concreto y someterlo. Olvidar el miedo sin solucionarlo es barrer el suelo dejando la basura debajo de la alfombra. La basura se acumula, y algún día saldrá y llenará de polvo la habitación entera.

Al final, me alegré de haber perdido parte del sueño aquella noche. Si hubiera conseguido dormir recurriendo a algún truco o a una píldora, dejando el problema sin resolver, habría almacenado un miedo en el subconsciente; y no hay polvorín más explosivo que las cargas de miedo en los sótanos de la mente.

No hay que minusvalorar los miedos pequeños, que se suman y pueden crear una psicosis de desconfianza e inestabilidad. Los grandes miedos no aparecen todos los días; son los pequeños miedos los que asoman en nuestros encuentros diarios con la realidad y minan nuestra energía vital. Miedo a perder el tren, a no haber aparcado bien, a no haber rellenado correctamente un cheque, a no haber cerrado debidamente los grifos, a olvidarse de una cita, a haber pillado una infección... Miedos con razón o sin ella, con consecuencias visibles o sin ellas, pero siempre con la consecuencia oculta y siniestra de la erosión de nuestras defensas psicológicas y de nuestra salud mental. Los apartamos sin más cuando vienen, no les damos importancia, los ignoramos; pero socavan nuestras fuerzas con el taladro continuo de su angustia secreta. Todo miedo sin resolver es una carga que nos pesa y nos encorva. Por eso debemos descubrirlos, desenmascararlos, identificarlos, llamarlos por su nombre y verlos tal como son, a fin de lograr escapar a sus tenazas a fuerza de serenidad, transparencia y coraje. Un poco de autoanálisis nos revelará que tenemos más miedos en la «bodega» de los que podemos imaginar. Se juntan, se apoyan, se refuerzan; y cuando un miedo mayor aparece, le preparan el camino, acompañan su acción y multiplican su efecto.

Si logramos destapar y neutralizar los miedos diarios en sus breves escaramuzas, disminuiremos su impacto y adquiriremos control y poder para dominar los miedos más importantes cuando aparezcan. Perder una bicicleta no es cuestión de vida o muerte; pero caer en la cuenta de que el miedo está ahí, dejarlo emerger, mirarlo, reducirlo, suprimirlo y limpiar la mente de todos los residuos tenebrosos que ha dejado, es un ejercicio de sinceridad y valor que aumenta el poder de la voluntad y prepara el alma para las grandes batallas que ganan la paz. Un balcón solitario bajo las estrellas amigas puede convertirse por una noche en cátedra del sabio vivir.

Todos nos perdemos

Me fijé bien para ver si era una ilusión mía o un hecho real. No era ilusión. Le temblaban las piernas. Junto a los tobillos, allí donde el borde de sus pantalones colgaba libremente, con la raya bien marcada, la larga tela vertical ondeaba como una bandera al viento. Sólo que no hacía viento. Me sorprendió. Era un buen orador. Estaba de pie ante el micrófono, con las piernas piadosamente ocultas tras la protección frontal del atril, y desarrollaba su discurso con su habitual dominio de la lengua, párrafos sonoros y chistes oportunos, con aparente facilidad y comunicación directa. Ningún oyente podría adivinar el nerviosismo que le atenazaba al hablar; pero yo estaba sentado detrás de él, en la plataforma, y podía ver de cerca el ballet cómico de sus piernas temblorosas. Acabó su discurso, y el público le ovacionó. Él se volvió y se sentó a mi lado. Yo le dije por lo bajo: «Te temblaban las piernas...». Él contestó: «Siempre me tiemblan. Por eso no hablo sin algo por delante que las cubra. No puedo remediarlo. Todo lo que he conseguido es seguir hablando, aunque tiemble, pero no he logrado eliminar el temblor. Me gustaría conseguirlo para poder hablar en público con más tranquilidad».

Miedo a hablar en público. El mejor orador puede sentir el tirón de la ansiedad al subir los escalones de la plataforma, recibir en pleno rostro el agobiante calor de los focos y mirar al mar de gente que le observa y espera sus palabras en respetuoso silencio. Miedo a olvidar un punto importante, a perder el hilo, a atascarse, a no saber cómo acabar, a no conseguir retener la atención de los oyentes, a perder el contacto, a distracciones y murmullos en la sala, a que la gente se levante y se marche... Todo eso puede ocurrir, y el miedo a que ocurra puede atar el pensamiento y paralizar el habla. Hay oradores que necesitan tener ante los ojos el discurso escrito, o al menos una sinopsis detallada, aunque no lo miren al hablar. Necesitan la presencia física, el papel cercano, la garantía escrita de que el discurso entero está allí y de que siempre pueden consultarlo, aunque nunca lo hagan. Casi un ritual supersticioso de magia personal. El fetiche ha de estar cerca para la bendición oportuna. Sólo entonces puede comenzar la ceremonia.

Yo encuentro que, cuanto menos tenso estoy, mejor funciono al hablar en público. Si estoy empeñado en no olvidar una cita concreta, seguro que me olvido, y empiezo a torturarme mientras sigo hablando, tratando desesperadamente de recordar la cita que tanto me importaba y que ahora, en el momento de la verdad, no hay manera de recordar. Es un tormento tratar de seguir diciendo algo para que el discurso no se interrumpa y, al mismo tiempo, intentar rescatar del fondo cerrado de la memoria rebelde el pensamiento importante y escurridizo. Sonrisa por fuera para acompañar un chiste, y maldiciones por dentro al no recordar la dichosa cita. No hay mejor manera de echar a perder un discurso. Los oyentes perciben que algo no funciona, aunque no puedan decir precisamente qué es, y su atención empieza a fallar. Lo que sucede es que el orador está dividido por dentro, su mente no está en sus palabras; y así sus palabras carecen de convicción, y se rompe el encantamiento. Pronto la audiencia entera se distraerá, se moverán la sillas, se inquietarán las miradas, y se creará esa imposible situación en la que el contacto se rompe y el discurso resulta un sonido hueco sobre una multitud enajenada. La ansiedad por hacerlo bien es el método seguro para hacerlo mal.

Hay que preparar el discurso, desde luego, y hay que recordar el lugar en que encajan la cita importante y la anécdota interesante; pero, una vez hecho todo ese esfuerzo, hay que destensarse y aun admitir tranquilamente la posibilidad de que el discurso falle y de que la interesante anécdota pueda no parecérselo tanto a los oyentes. Se trata de un equilibrio delicado, pero tentador: por un lado, hacer todo el esfuerzo posible, preparar cada idea y asegurar en la memoria la necesaria progresión del discurso; por otro, imaginarse la posibilidad de que fracase el intento, sin llevarse ningún disgusto por ello. Mirar a los oyentes con verdadero deseo de que se produzca la comunicación y aceptar el hecho de que quizá tal cosa no ocurra, y no entristecerse por ello. Pleno trabajo y pleno desapego. Esfuerzo y tranquilidad. Interés y neutralidad. Y entonces ocurre algo muy interesante: cuando el miedo al fracaso desaparece, al aceptar su misma posibilidad, la mente queda libre, las ideas fluyen, las anécdotas vienen a la memoria en el momento exacto y, lo que es más, otras anécdotas que no estaban programadas se presentan por su cuenta y dan una nueva frescura y vitalidad al discurso. El discurso hay que prepararlo con cuidado… precisamente para poder olvidarse de él cuando algo mejor se ofrece por el camino. La improvisación sólo resulta cuando ha ido precedida de una cuidadosa preparación. La preparación engendra confianza, la confianza libera la mente, y la mente liberada encuentra el dicho oportuno en el momento indicado. La falta de miedo es la base de la elocuencia.

Cuando Cicerón defendió a Milón ante los jueces de Roma, tuvo miedo, ya que los militares estaban en contra de su defendido, y tembló cuando le llegó el momento de pronunciar el alegato del que todo dependía. El resultado fue que su acostumbrada elocuencia le abandonó; y, aunque era el mejor orador de todo el imperio romano, habló mal, perdió el juicio, y Milón fue desterrado a Marsella, en las Galias. Enfadado consigo mismo por el fracaso, Cicerón escribió otra defensa como habría querido hacerla, y este discurso, que nunca llegó a pronunciarse, todavía hoy se considera uno de los grandes clásicos del género. Envió una copia del discurso a Milón, que ya estaba en Marsella, para justificarse de alguna manera y hacer saber a su cliente la manera como le habría gustado defenderlo si hubiera conservado su entereza en el juicio. Milón, que tenía sentido del humor, tras leer el ejemplar discurso, le escribió a Cicerón: «Menos mal que no pronunciaste este discurso aquel día, pues me habría perdido el excelente pescado que como aquí a diario». La bullabesa de Marsella tiene, por lo visto, una larga tradición...

De hecho, Cicerón había hecho algo muy inteligente en su segundo discurso. Había enumerado en el exordio todas las razones que le inspiraban miedo y las había refutado una por una, como para convencerse a sí mismo y reforzar su postura. Eso era un truco. Él sabía que esas mismas razones eran las que inspiraban miedo a los jueces; y, al decirse a sí mismo que no eran válidas, les estaba diciendo lo mismo a los jueces, con tacto y discreción, para que juzgasen sin miedo a los militares ni al gobierno. Muy convincente y artístico; pero eso aparece tan sólo en el discurso que nunca se pronunció. Es más fácil tener coraje sobre el papel que ante los tribunales de justicia. Es fácil decirle a otro que no tenga miedo, mientras uno mismo lo tiene por las mismas razones. Tal miedo tenía Cicerón que aquel día no consiguió exponer tan claras razones, y su discurso le salió tan mal que lo rompió, mientras se aseguraba de que el segundo discurso quedara preservado para la posteridad. Ahora tenemos un discurso modélico... y un testimonio eximio de lo que el miedo puede hacerle a un gran hombre.

Los escritores también tienen sus miedos particulares, no tan conocidos, pero que yo mismo he sentido en mis tentativas editoriales. Me consoló leer las declaraciones de un escritor famoso, Salman Rushdie, en un periódico indio. Allí describía la crisis que tenía que afrontar siempre que planeaba y trabajaba un nuevo libro, y yo sonreía sin querer, al verme reflejado en sus miedos. Decía que, cuando escogía el tema para un nuevo libro, le parecía que tendría material de sobra para todo el volumen, y que el único problema consistiría en escoger escenas y trenzar la trama. Sin embargo, al poco de comenzar a escribir el libro, de pronto se sentía paralizado por el pánico. Temía que no iba a tener bastante materia, que se atascaría a la mitad y que nunca podría terminar el libro por falta de ideas. Se le paraba la mente, y no conseguía escribir ni una palabra. Cuando, por fin, lograba volver a escribir, se encontraba con ideas, frases y ejemplos, proseguía con facilidad, y al final resultaba que le sobraba materia. Es prueba de fuego que no desconozco: el entusiasmo inicial, el pánico súbito, la calma restaurada... Era un miedo irracional: el proyecto estaba perfectamente concebido, la carpeta con las notas para el futuro libro estaba llena a reventar, y la mente estaba pugnando por saltar a ese estado creativo que le encanta y que es la mejor y única garantía de que la tinta va a fluir y las páginas van a llenarse con la alegría de una nueva obra. Pero un miedo insensato cegaba los canales del pensamiento, y el trabajo se atascaba. No se movían los dedos de la mano ni la imaginación de la mente. Hace falta todo el valor a la desesperada de la creación literaria para romper el cerco y empujar el movimiento. Dolores de parto al nacer la originalidad en un mundo de repeticiones. Otro gran escritor indio, V.S. Naipaul, cuenta cómo escribió su primer libro (Finding the Center): «No numeraba las páginas, por miedo a no terminar».

Lope de Vega escribió su célebre soneto jugando en cada verso con el temor de no poder llegar al siguiente. Y no es puro juego, sino reflejo auténtico, y por ello artístico, de la tensión creadora del poeta genial. Es una filigrana de sentimientos delicados, temores sutiles, humor latente, cadencias musicales y rima perfecta. Comienza obedeciendo órdenes femeninas, declara ser ése el mayor aprieto de su vida, nos hace temer con él que el soneto no llegará a completarse, conquista una a una las cimas repetidas de la cadena de versos, amontona el suspenso, se aventura con elegancia valiente en el riesgo de un nuevo verso, domestica otra rima, cambia de enfoque al renovarse el reto, culmina su obra y entrega con un floreo caballeresco la maravilla de los catorce versos a la tentadora belleza que los había pedido. El poeta también conoce el miedo... y la recompensa de vencerlo.

Los directores de orquesta también son presa fácil del temor al público. A pesar de todo su arte, su esplendor, su identificación con el sonido puro y su poder de transformar en emoción y belleza el código secreto de notas cautivas en pentagramas impresos, acusan la presencia del público, el reto de la orquesta, el peso de la historia, el riesgo de un fracaso, la soledad del podio..., y sufren en su interior mientras llenan de melodías eternas el silencio expectante del solemne auditorio. Todo parece tranquilo y seguro en el más elegante de los entornos. Pero no es así. Hay nerviosismo, desconfianza y miedo. Leonard Bernstein reconocía que antes de cada pieza tenía que tocar físicamente la partitura, echarle un vistazo, aunque no viera nada, y apretarla entre sus manos antes de salir al escenario y empuñar la batuta. Rito atávico en marco contemporáneo.

Dirigir sin partitura no es pequeña hazaña. La tercera sinfonía de Mahler tiene ocupada a una orquesta plena, a un coro de niños y a una soprano durante casi dos horas. Y cada nota de la complicada partitura, cada entrada, cada modulación, han de ser recordadas con anticipación a cada momento para lograr una ejecución maestra. El director no puede permitirse una duda, un retraso, un compás en falso. Eso echaría a perder el concierto. Tampoco puede dejar que el peso de la memoria entorpezca la libertad de cada gesto, o que la preocupación de la partitura detenga los barridos de su batuta. Yo sé algo de música de memoria, y aún puedo tocar la sonata en Do de Mozart KV 545 sin demasiados tropiezos; pero su simple y encantador acompañamiento Alberti de acordes desplegados en la mano izquierda casi se toca solo, y los dedos encuentran las teclas de mutuo acuerdo, sin esfuerzo alguno. Otra cosa es cuando se trata de la compleja partitura de una composición moderna, con sus atrevidas exigencias para el oído, el ojo y la memoria.

André Previn, notable director y sincero crítico, revela el secreto de que todos los directores, aun los mejores, se pierden a veces al dirigir sus orquestas. Un paso en falso, una distracción, un fallo de la memoria..., y el director se queda sin saber dónde está, mientras la orquesta sigue su curso como si, a fin de cuentas, no necesitara director. El consejo que André Previn saca de su propia experiencia y ofrece a sus dignos colegas es que en tal trance el director no trate de reunirse con la orquesta a la desesperada, y menos aún trate de forzar a los músicos a que vengan a donde él creen que deberían estar, sino que lo tome con calma, les deje tocar, haga con la batuta gestos amplios y generales que podrían encajar con cualquier ritmo, y espere pacientemente al reencuentro, que tendrá lugar más tarde o más temprano, sin que los disciplinados oyentes hayan caído en la cuenta de que algo había fallado. El único obstáculo para recobrar el control es el miedo a perderse y la ansiedad por volver al compás cuanto antes. Déjalo estar y no te atormentes. Ten sentido del humor y disfruta con tu hazaña. Siempre es una experiencia interesante, y al final el concierto es un éxito, y el público pide propina a fuerza de aplausos.

La vida es también una sinfonía, y todos nos perdemos de vez en cuando. La partitura es complicada, tiene pasajes difíciles, solos comprometidos y «tutti» arrolladores. A veces perdemos el compás y no sabemos ni dónde estamos ni adónde vamos ni cuándo y cómo va a acabar todo aquello. No importa. No te asustes. Que siga la música. Ya nos incorporaremos otra vez, más tarde o más temprano, y el concierto siempre será un éxito. La música nunca falla.

El porte erguido

Los antropólogos dicen que el hombre y la mujer comenzaron a andar erguidos porque tenían miedo. La mayor parte de los animales de algún tamaño que caminan sobre la tierra, lo hacen a cuatro patas. Incluso algunos monos que usan con preferencia sus patas traseras se apoyan en las cuatro extremidades para correr con mayor rapidez, cuando no están colgados de las ramas de los árboles y se columpian de copa en copa. Sólo el hombre y la mujer andan erguidos. Tan es así, que hemos llegado a ver en este hecho una señal de superioridad, dignidad y nobleza. Somos los únicos que miramos al cielo, los únicos que podemos volver la cabeza a todos lados, los únicos que mantenemos nuestras manos sin contaminarse con el polvo de los caminos por los que pasamos. Al andar erguidos, el hombre y la mujer proclaman su confianza y seguridad; y andar encogidos es signo de debilidad entre nosotros. Estamos orgullosos de nuestra postura, y la consideramos nuestro privilegio y nuestra gloria. Al primer simio en la escala de la evolución humana que se puso en pie le hemos dado el nombre de *Pithecanthropus erectus*, haciendo así de su porte erguido *(erectus)* la línea divisoria entre el mono *(pithecos)* y el hombre *(anthropos)*.

En realidad, la cosa no es para tanto. Hablando honradamente, lo cierto es que nos pusimos de pie porque teníamos miedo. No teníamos defensas demasiado eficaces en medio de la selva. No teníamos la fuerza del león ni de la velocidad de la gacela; no disponíamos de las alas del águila ni del veneno de la serpiente. Tan sólo teníamos la primera chispa de inteligencia humana, que nos permitía prever, planear, protegernos. Lo primero que nuestra inteligencia hizo por nosotros fue avisarnos de los peligros y enseñarnos a evitarlos. En la selva, el ataque inesperado puede venir de cualquier parte, y por eso era esencial que «El Lampiño» (en imagen de Rudyard Kipling) fuera capaz de mirar al instante en cualquier dirección, volver la cabeza hacia cualquier ruido y enfocar la doble visión de sus ojos hacia cualquier sombra o movimiento, lejos o cerca. El animal que anda a cuatro patas tiene un campo de visión limitado y sólo puede mirar hacia atrás girando todo el cuerpo; en cambio, el hombre y la mujer, que andan erguidos, no tienen más que volver ligeramente la cabeza para alcanzar cualquier rincón con su mirada. Ésta fue la primordial razón que les hizo ponerse en pie y andar de tal guisa. Tenían que protegerse de los peligros que su inteligencia les hacía percibir a su alrededor, y así comenzaron a andar derechos, para poder mirar atrás. Ésos son los estadios de nuestra evolución: la inteligencia, que nos hace humanos; el miedo, que brota de los peligros descubiertos por la inteligencia; y el porte erguido para observar los mencionados peligros. Genealogía mezclada de antepasados dudosos.

Los bueyes del ejército, en el diálogo de Rudyard Kipling, pueden arrastrar los cañones en medio de la batalla sin sentir el miedo, porque «sólo ven hacia adelante» y «no pueden ver dentro de sus cabezas». Su capitán humano, por el contrario, «puede ver cosas en su cabeza antes de comenzar el fuego, puede ver lo que pasa cuando estalla una granada, y tiembla de arriba abajo». Esta capacidad de «ver dentro de la cabeza» es la que nos trae problemas en el campo de batalla. El miedo nace de nuestra capacidad de imaginar el futuro. Nuestra inteligencia nos hace ser cautelosos y nos pone en guardia contra los peligros que amenazan nuestra existencia. Así es como el ser humano se hizo torre vigía en su propio cuerpo, alto y erguido, para escudriñar el horizonte en busca de cualquier señal de peligro en la taimada jungla. De esa manera pudo sobrevivir el más débil de los animales, «El Lampiño», y llegar a dominar a todos los demás animales más fuertes y rápidos que él. Esto de «ver dentro de la cabeza» tuvo también sus ventajas y, aunque nos trajo el miedo, nos conquistó también para siempre nuestra posición privilegiada en la tierra como reyes y reinas de la creación. Y esa misma facultad nos impuso, para bien o para mal, el hábito antropológico de andar sobre sólo dos pies.

Nuestros cirujanos ortopédicos saben muy bien lo que ese hábito nos ha costado. La columna vertebral, que en los animales no se hizo para estar en posición vertical, queda sometida en nosotros a un castigo diario que dura toda la vida y que desgasta las vértebras, aplasta los cartílagos, agarrota el cuello y atenaza los nervios. Para un ser que se mueva en tierra no es sano andar a dos patas, estar de pie horas y horas, dejar que todo el peso del cuerpo recaiga sobre el espinazo y desafiar constantemente esa gran ley universal del cosmos que es la ley de la gravedad, que al final nos conquista y nos aplasta, literalmente. Estaríamos mucho más sanos y nos encontraríamos mucho más a gusto haciendo cabriolas a cuatro patas, cerca de la madre tierra que nos dio el ser, y en la postura horizontal que la naturaleza recomienda a todas sus criaturas de tierra, mar y aire. Así es como andábamos cuando éramos pequeños, y nos divertíamos enormemente... hasta que sesudos adultos nos engatusaron y forzaron, con trucos seductores, a aprender a andar como ellos lo hacían, es decir, a tropezar, a caernos, a hacernos daño, a tomar una postura antinatural y a sentirnos incómodos con nuestro cuerpo por el resto de nuestras vidas. Los animales sabios aprenden a andar por sí mismos, y lo hacen casi nada más nacer; a nosotros, por el contrario, a pesar de nuestro autoconcedido título de *homo sapiens*, nos cuesta aprender, tardamos años, vamos despacio y necesitamos ayuda. Ellos han escogido el camino de la naturaleza, mientras que nosotros proclamamos la rebelión de nuestra verticalidad en un mundo horizontal, y pagamos un alto precio por nuestra originalidad.

Una radiografía de la espalda de un adulto revelará al ojo del experto los signos delatores del paso del tiempo. «Espondilitis», dirá el doctor, que añadirá con tono reconfortante: «Normal a su edad». Sí, normal para hombres y mujeres de mi edad; pero estoy seguro de que, si le hacen una radiografía a un caballo o a una vaca de edad comparable, no revelará espondilitis de ninguna clase. Al menos yo no he visto vacas o caballos con corsés ortopédicos ni «collarines», mientras que sí he visto a muchos hombres y mujeres que los llevan. Tampoco he oído que hayan operado a animales de hernia discal, cosa que sí he oído de un número considerable de mis amistades. Castigo a nuestro orgullo.

Vivo en la India, y mi cuerpo disfruta el consuelo de poder sentarse en el suelo, con las piernas extendidas y apoyado en la pared, en la sabia comodidad de la etiqueta oriental. Se desprecian las sillas, estar de pie es un martirio, y las mesas son instrumentos de tortura. El cuerpo ama la alfombra en el suelo, el redondo almohadón por detrás, las piernas estiradas, los pies descalzos, el codo apoyado en el almohadón, la espalda relajada... Cuanto más abajo esté el cuerpo, más tranquila está el alma. Occidente pretende que el hombre y la mujer piensen en el cielo, y les hace levantar la cabeza para que miren arriba y vean las nubes; Oriente, en cambio, sabe que la mejor manera de llegar más adelante al cielo consiste en vivir sólidamente asentado en la tierra, y por eso nos invita a recostarnos en el suelo. La postura relajada, terrena, telúrica, practicada universalmente en Oriente, es signo e instrumento de la paz interior, que es el corazón de la teoría y práctica de la ciencia del espíritu en esta parte del mundo. El hombre y la mujer vuelven a su contacto vivificante con la realidad terrena.

La postura erguida del hombre y la mujer, con su privilegio y su miseria, se deriva, pues, en su origen, del miedo que su inteligencia les hizo sentir. Lo cual quiere decir que dicho miedo está grabado en nuestros huesos y vibra en nuestra médula cada vez que nos ponemos en pie y volvemos la cabeza. Llevamos en nuestra carne la marca del temor ancestral. Nuestro cuerpo forma parte integral de la maquinaria de nuestros miedos. Esa maquinaria que nos hace temblar no es sólo nuestra imaginación excitada, sino nuestro mismo organismo, que recuerda su historia. Las espirales químicas de nuestros tejidos refuerzan los pensamientos de nuestra mente. Lo sabemos muy bien por experiencia propia. Un temor súbito dispara las hormonas, que nos aceleran el pulso, nos retienen la respiración y nos alertan los sentidos. Es nuestro organismo entero el que registra los miedos. Saber esto nos puede ayudar a entenderlos mejor y controlarlos en lo posible. Si queremos vencer a nuestros miedos, tenemos que pensar también en nuestro cuerpo.

Hace pocos días, estando yo en un gran supermercado, de pronto se apagaron todas las luces. Se hizo una oscuridad total, a excepción de unas flechas fluorescentes que marcaban las salidas de emergencia. La multitud quedó paralizada al instante, y podía palparse la inquietud en medio de la oscuridad. Imaginé por un instante cómo podría producirse una catástrofe: un grito, un acceso de pánico, una carrera de todos contra todos en la oscuridad enemiga..., y el moderno almacén podría haberse convertido en una trampa mortal para muchos. Se percibía el terror en el aire. La luz volvió tan súbitamente como se había ido, revelando una galería de rostros aterrados y posturas violentas. Luego, un suspiro de alivio surgió al mismo tiempo de cien gargantas, y las sonrisas volvieron a desatar los cuerpos. Todo aquel espacio oscuro había sido por unos instantes la morada del miedo. El cuerpo, con su tensión, sus nervios candentes, su respiración entrecortada, su pulso acelerado, su adrenalina, su inmovilidad..., había creado un espacio de pavor en el recinto cerrado. La reacción fue súbita, y el pánico instantáneo, como también fue instantánea la liberación. La respiración se normalizó, los músculos se relajaron, las voces tranquilas volvieron a murmurar en el entorno. El espectro del miedo, después de rozar por un instante a la multitud indefensa, se había vuelto a alejar hasta otra ocasión. Las compras continuaron como si tal cosa.

El miedo nos hace retener el aliento, y los miedos repetidos, grandes o pequeños, diurnos o nocturnos, conscientes o inconscientes, con sus presentimientos, su sombra, su marca, su rastro, van causando en nosotros ese permanente achaque de la respiración superficial, que es uno de los hábitos más funestos para la salud del cuerpo y de la mente. Thérèse Bertherat dice que respirar superficialmente es como vivir en un piso de seis habitaciones y ocupar sólo una. Pérdida de espacio y de energía.

El aliento que respiramos se llama en sánscrito *prana,* que quiere decir «vida»; y así, cuanto menos aire inspiramos, menos vida vivimos. El oxígeno se nos da gratis, y nosotros, con timidez altruista, tomamos sólo un poquito y dejamos el resto colgando en el aire, frustrándolo en su función principal de dar vida. Una respiración profunda llena los pulmones, asienta el cuerpo, aclara la mente, otorga la paz. La respiración entrecortada nos deja jadeando, con la ansiedad física de un cuerpo privado de oxígeno y la angustia mental del pensamiento suspendido en la expectativa dolorosa. Y luego comienza el círculo vicioso. El miedo nos ha hecho aguantar la respiración, y ahora esta respiración disminuida nos tiene en suspenso y aumenta nuestros miedos. La respiración defectuosa es responsable, no sólo de reducir nuestra vitalidad, sino también de aumentar nuestros miedos. Este aviso realista puede ayudarnos a reducir nuestros miedos y llevarnos a hacer uso del cuerpo, que había sido atacado por la mente, para contraatacar e iniciar el proceso curativo con su tranquilidad y regularidad, para devolverle a la mente la serenidad que siempre debería residir en ella y en todo el organismo para la redención total.

Si el miedo me tensa los músculos y me hace entre-cortar la respiración, también puedo, en proceso inverso —calmando mi aliento y aflojando los músculos—, atraer otra vez la paz a mi amenazado hogar. El miedo no puede coexistir con los músculos relajados y la respiración tranquila. La mente no puede estar agitada cuando el cuerpo está en paz. Si no tengo acceso directo a la mente para liberarla de las aprensiones, terrores y preocupaciones que la atenazan, sí puedo llegar a ella a través del cuerpo, calmar mi aliento, desatar mi postura, liberar mis mús-culos, sonreír y volver a presentar al mundo un rostro amigo, en lugar de la máscara retorcida que el pánico me había dibujado en la cara. Es un ejercicio sencillo y que produce rápidos y benéficos resultados. La calma del cuer-po se extiende por contagio hacia la calma de la mente. Camina despacio, controla tus movimientos, modula tu voz, libera tu vista, anda y habla y actúa como lo haría una persona tranquila, serena y pacífica. Poco a poco, con una insinuación íntima y amistosa, la calma penetrará por ósmosis el cuerpo y el cerebro, hasta el corazón y la mente, y el miedo aflojará las cadenas que atenazan la conciencia. Cuerpo y mente demostrarán con gusto su compañerismo al dar y aceptar su mutua influencia para el bien de ambos.

Estos ejercicios pueden parecer un tanto artificiales, incluso teatrales al principio. Una primera espontaneidad o incluso una sinceridad mal entendida pueden llevarnos a aparecer por fuera tal como somos y estamos por dentro. Que mi cuerpo manifieste el mismo estado que mi alma, sin velo ni censura de ninguna clase. «Si estoy nervioso, me mostraré nervioso; ¡y que todos me vean nervioso y sepan cómo soy!». Esto puede estar muy bien a manera de confesión pública, pero puede que no sea el mejor modo de curar un nerviosismo excesivo y dañino. Puedo intentar otro camino, tan legítimo como el otro y más eficaz. Aun-que esté nervioso, puedo, con algo de práctica, comenzar a actuar como si no lo estuviera; puedo hablar con voz firme, suavizar mi mirada y mover mis manos con gracia y elegancia, con lo cual en poco tiempo sentiré que recobro la calma, la veré reflejada en los que me rodean, y su mudo testimonio me afianzará en la paz conseguida. Un cuerpo sin tensiones alberga un alma sin miedos.

No permitamos que nuestros cuerpos sean presa de los síntomas del miedo. Si hemos de andar erguidos —ya que no es probable que a estas alturas renunciemos al dudoso privilegio de nuestra altiva postura—, podemos hacerlo en comunión con el cuerpo, con la flexibilidad de los músculos, el buen gusto en los movimientos, la alegría de los sentidos, la firmeza del paso, la amistad de la mirada, la apertura del rostro...; y nunca con prisas, recelosa y huidizamente, con la espalda encorvada, la mirada extraviada, los labios fruncidos, la frente arrugada, los miembros ateridos por el abrazo mortal del miedo orgánico... Liberémonos, de una vez por todas, del miedo ancestral que aún corre por nuestras venas desde los lejanos días en que nuestros antepasados habitaban la selva enemiga. Ya tenemos bastantes preocupaciones con nuestra propia selva para cargar con las de otros paisajes y otras edades. Bástale a cada edad con sus problemas...

El collar de la buena suerte

«Inseguridad económica»: para muchos de nosotros, simples palabras. Como mucho, un concepto. Sabemos, desde luego, que hay personas que no saben cómo va a alcanzarles el sueldo hasta final de mes; personas que no están seguras de que el mes siguiente vayan a recibir dicho sueldo; personas que, en caso de necesidad extrema, ni siquiera tienen el más mínimo ahorro al que poder recurrir... Sabemos todo eso, pero quizá no hemos experimentado en nuestra carne la vergüenza de la factura sin pagar, la angustia del desahucio inminente por falta de pago, la repetida agonía de contar el escaso dinero que nunca da de sí, el presupuesto inmisericorde, las cuentas imposibles, el déficit persistente, los heroicos equilibrios de la mujer para estirar los ahorros, la insatisfacción de los hijos, el gasto mínimo, los vestidos gastados, la comida escasa... Y, encima, la cruel incertidumbre acerca del tiempo que puede prolongarse la situación, porque las circunstancias no mejoran, el empleo es cada vez más precario, y la sombra del despido se cierne amenazante. ¿Cómo vivir día a día en esa situación, hacinados dentro de una pequeña vivienda con cuatro muebles miserables, aunque importantes para quien no tiene otra cosa que pueda llamar suya, con temor al desahucio, a la enfermedad, a no poder pagar la matrícula de los hijos en el colegio, a la carestía de la vida y a la falta absoluta de soluciones? Pesadilla diaria para quien, muy a su pesar, tiene que disimular, sonreír a la fuerza, como si todo marchara bien, y aparecer alegre y confiado en el trabajo y en la calle. Dios sabe lo que sufre en su corazón mientras su rostro sonríe...

En cierta ocasión, me encontré accidentalmente en la calle con un hombre al que no había visto hacía años. Fue él quien me reconoció y quien tomó la iniciativa de acercarse. Conseguí recordar: era el dueño de un pequeño restaurante en una calle donde yo había vivido algún tiempo, y nuestra amistad revivió rápidamente mientras repasábamos recuerdos comunes, de pie en mitad de la calle abarrotada, entre los empujones de impacientes peatones que nos atacaban por todos lados. Le pregunté cómo le iba el negocio. Se entristeció y bajó los ojos. Me dijo apenadamente que, en un principio, había puesto el restaurante a nombre de su socio, del que se fiaba plenamente, pero el socio se aprovechó, se hizo legalmente con el negocio y lo echó a él, que era el verdadero dueño. Lógicamente, él y su familia estaban pasando graves apuros económicos, como lo delataba su aspecto: la chaqueta raída y no demasiado limpia, las gafas rotas y vueltas a pegar de mala manera... Por otra parte, era obvio que sus dientes no habían visto a un dentista hacía años. Era la imagen misma del hombre que hace todo lo posible por mantener un aspecto mínimamente digno con un presupuesto insignificante.

Habló brevemente y sin hacerse la víctima, guardando siempre su nobleza de carácter en medio de la indigencia en que se encontraba. Sus ojos se alegraron ligeramente al decir: «Quizá se acaben pronto nuestras dificultades. Existe la posibilidad de que me den un buen empleo en Bombay. De hecho, me encuentras aquí porque vengo de la estación de ferrocarril, adonde he ido a preguntar cuánto cuesta el billete para Bombay. El problema es» —y su rostro se ensombreció de nuevo— «que todo el dinero que tenemos en casa no llega para pagar ni la mitad del billete. No sé qué vamos a hacer...».

Las palabras de aquel hombre bueno y desgraciado me causaron una gran tristeza, mientras yo le escuchaba y le miraba tratando de sentir su dolor. El precio del billete para Bombay no es más de lo que puede costar una comida en un hotel modesto. Y cuando todo el dinero que había en su casa había sido contado una y otra vez, cuando habían registrado todos los cajones y vaciado todos los bolsillos, cuando habían apilado y contado las monedas, la suma total no llegaba ni a la mitad del precio requerido... ¿Cómo se puede vivir así? Bocas que alimentar, cuerpos que vestir, renta que pagar, estudios que abonar... Y sin dinero. Día tras día y mes tras mes. Y ahora llega la oportunidad dorada del posible empleo. Casi a la mano. Pero no llega el dinero ni para el viaje. Y la duda se prolonga más allá. El empleo no es seguro. Quizá el viaje resulte inútil, o tal vez haya que hacer otro viaje, o quizá surjan otros gastos antes de conseguirlo... ¿De dónde va a salir todo eso? El fantasma de la inseguridad se presenta a cada paso. ¿Le darán el empleo? ¿Durará? ¿Tendremos suerte? ¿O volveremos a estar como antes o peor que antes? Por unos instantes, en presencia de aquel hombre honrado y desgraciado, viví la agonía de quien no tiene el dinero suficiente para una necesidad apremiante. ¿Qué será cuando ese estado de inseguridad se prolonga a lo largo de toda una vida...?

El mejor cuento del escritor gujarati Kisansingh Chávada, repetido en todas las antologías, incluido en todos los libros de texto y sometido a análisis en todos los exámenes, es el relato de un incidente real que le ocurrió cuando era joven. No había conseguido aún su primer empleo, y su madre era viuda. Tenían lo suficiente para vivir modestamente; pero, a medida que él iba haciéndose mayor, sentía la necesidad de encontrar una posición desahogada y segura para sí, para su madre y para su futura familia. Tenía que empezar por algún sitio. Después de varios intentos, logró su primer empleo como repartidor de periódicos. No era un gran trabajo; pero por algo había que empezar...

La única pega era que para ese trabajo necesitaba una bicicleta, y él no la tenía. El muchacho se lo dijo a su madre... y tuvo que olvidarse de la bicicleta. Pero sin bicicleta no había empleo y, como él no podía adquirirla, no le quedó más remedio que seguir buscando y estar atento a la menor oportunidad que se presentara. Su madre, sin embargo, comprendió lo que un primer empleo significaba para su hijo, y su mente comenzó a trabajar como sólo la mente de una madre puede hacerlo. Toda mujer casada hindú posee una joya, el *mangal sutra* («el collar de la buena suerte»), que recibe el día de su boda y que conserva de por vida como su más valiosa posesión. El collar simboliza su fidelidad a su marido, la fertilidad de su matrimonio y el bienestar de su familia bajo la protección de Dios, que bendijo su boda y la protege como mujer, esposa y madre. Signo visible de belleza y dignidad permanentes. Tesoro exclusivamente femenino que ningún hombre puede poseer. Entre sus componentes debe haber siempre algo de oro, aunque sea una mínima cantidad; pero la presencia del precioso metal es esencial para significar el valor indispensable de los atributos de la mujer en el seno de la familia. La mujer sólo se quitará el collar si enviuda, y aun entonces lo conservará celosamente en su estuche como prenda de su fidelidad a su marido tanto en la muerte como en la vida. Esa joya no se vende, y su valor emotivo es mucho mayor que el valor económico tasado por el orfebre. Tesoro privilegiado de la mujer fiel.

Sin embargo, fue a esta atesorada y acariciada posesión a la que la madre del muchacho se volvió como último recurso. No dijo nada, pues estaba segura de que, si hablaba, su hijo se lo impediría. De modo que actuó con rapidez.

Al día siguiente, el muchacho se encontró a la puerta de casa con una bicicleta nueva, y su madre le dijo que era suya. El muchacho se entusiasmó al verla; pero, cuando la primera emoción se le pasó, no pudo menos de pensar y sacar conclusiones. Él no entendía mucho de los asuntos de la vida, pero en este caso las alternativas eran pocas, y pronto la sospecha surgió en su mente. ¿Será posible que...? Sabía el significado y el valor del «collar de la buena suerte»; sabía que éste no podía venderse y que, ocurriera lo que ocurriera, lo último que haría su madre sería desprenderse de él. Pero no se le ocurría de qué otro modo podría haber llegado a su casa aquella bicicleta. Finalmente, se atrevió a exponer a su madre sus sospechas. La madre, con la serenidad que le daba el amor que sentía por su único hijo, dejó que hablara su cabeza, mientras acallaba sus sentimientos. ¿Para qué servía una joya inútil en un estuche, si podía convertirse en una bicicleta que tanto bien podía suponer para los dos? ¿No era eso lo que el mismo padre del muchacho habría querido? ¿Qué mejor uso se podía hacer de un pedazo de oro que transformarlo en instrumento para ganarse la vida y comenzar una carrera de honrado trabajo? De hecho, como siguió explicando la madre viuda, ahora tenía el alivio de no tener que guardar oro en casa, con la molestia y el peligro que eso entrañaba. ¿Acaso la finalidad del collar no era traer suerte y prosperidad a la familia? ¿Y no era eso lo que estaba haciendo ahora de la manera más tangible y evidente?

Ganó la madre. El muchacho tomó la bicicleta como si se tratara de un tesoro y se fue con ella a trabajar, a ganarse la vida, a hacerse hombre y a atesorar en su corazón la herencia sin precio de una madre sabia y sacrificada. Y cuando el muchacho se hizo hombre, y el repartidor de periódicos se hizo escritor, escribió su mejor página sobre aquel incidente que había cambiado su vida. Le puso al relato el título de «Mangal Sutra», y con ese nombre entró en todas las antologías literarias y en los corazones de lectores y lectoras de todo el Gujarat.

Nos sentimos muy cerca de la abnegada madre, porque hasta cierto punto nos imaginamos el valor necesario para vivir día a día con aprietos económicos. Gastar las últimas monedas, aceptar el riesgo, quedar siempre con la atormentadora y amenazante incertidumbre del mañana... El miedo a no poder sostenerse a uno mismo y a la propia familia es una carga demasiado real para mucha gente en todas las partes del mundo, y no sólo para los pobres de solemnidad, sino para otros muchos que soportan la penuria y la escasez, aunque puedan disimularlo aparentemente. Las compañías de seguros florecen en países desarrollados, y su razón de ser es precisamente la necesidad que la gente tiene de sentirse segura. Pero los que son realmente pobres no pueden permitirse el lujo del seguro y siguen soportando la inseguridad cotidiana en medio del dolor más general e injusto que conoce la historia humana. No hay seguro que pueda cubrir el daño causado a la mente por la condición continuada de opresión material. Deber de todos en tiempos de despertar universal es lograr que el hombre y la mujer obtengan libertad económica para vivir esa vida digna y justa para la que han sido creados.

Inseguridad afectiva

Plegaria de un alma delicada: «Señor, no pido nada para mí; puedo decir sin presunción que sabré llevar las cruces que quieras enviarme; puedo aguantarlo todo. Lo que supera mis fuerzas es ver sufrir a quienes amo de cerca. Por ellos pido, Señor; líbralos del sufrimiento, por ellos y por mí».

Esta generosa oración abre otro frente de vulnerabilidad para nuestras almas. Quedamos expuestos a la inseguridad, no ya por causa nuestra, sino por causa de aquellos a quienes de veras estimamos y amamos. Su peligro es nuestro peligro, y su dolor nos duele. Incluso a veces, como en la plegaria citada, sentimos más los sufrimientos de personas muy allegadas a nosotros que nuestros propios sufrimientos. En cuanto a estos últimos, pensamos que de alguna manera podemos arreglárnoslas y salir adelante, mientras que la otra persona es tan frágil y delicada que no podemos tolerar la idea de verla sufrir. La seriedad del amor está en que, si nos abrimos a que otros entren en nuestra vida, con ellos entran también sus tribulaciones y peligros, y de ese modo incrementamos nuestra inseguridad. Bendita carga, desde luego, ya que de amor se trata; pero ello no significa que deba ser ignorada o minimizada cuando queremos descubrir todas las raíces de nuestros miedos.

Cierto día me visitó un matrimonio cuyo único hijo había conseguido una beca en una lejana y famosa universidad, y sus solícitos padres estaban dudando si el muchacho debería aceptar o no. Querían que yo les hablara de los posibles inconvenientes y peligros, pero yo preferí que fueran ellos quienes lo hicieran para que sus propios miedos salieran a la superficie. Habían oído que entre los estudiantes de aquel centro eran bastante frecuentes el alcohol, el sexo y las drogas. Su hijo era un joven verdaderamente ejemplar que hasta entonces sólo había conocido el mundo inocente de un pequeño pueblo. Valía para los estudios, era aplicado y podía tener éxito en la carrera que había escogido. Prometía mucho. Pero ¿qué sería de él en la gran ciudad? El mayor miedo de sus padres era que no volviera a casa. Podía tener un accidente; o podía también triunfar de tal manera que le hicieran alguna tentadora oferta y se marchara al extranjero para siempre; o podía enamorarse de una joven dominadora y alejarse definitivamente de ellos... Era su madre la que hablaba, y resultaba angustioso oírla desgranar sus cuitas, con su mirada fija, su rostro surcado por la edad y el dolor, su voz resignada y a punto siempre de estallar en sollozos. Su hijo era su mayor tesoro, orgullo del pueblo, esperanza de la familia, seguro cariñoso para la vejez... Y ahora todo eso se veía amenazado. ¿Cómo podía dejarle ir? Pero, por otra parte, ¿cómo podía impedírselo, frenar su progreso, arruinar su futuro? Sería de un egoísmo imperdonable... Finalmente, decidieron dejarle ir. A partir de entonces, sus padres vivirían ya siempre con la larga ansiedad de la seguridad perdida. Todo peligro para el hijo sería una amenaza para sus padres. Cada carta sería abierta con mano temblorosa. Y, entre carta y carta, una lenta y callada agonía de negro presentimiento. La distancia aumenta la inseguridad de los que aman.

Otra madre me confía que su hija, una joven que está asomándose a su independencia, ya no le habla de sus cosas como lo hacía antes. Se ha vuelto callada, reservada, recelosa... Evita todo tipo de preguntas, sobre todo si se refieren a ella misma. Se porta bien en casa y trata de no chocar con nadie, pero se encierra en sí misma, y no hay manera de saber qué es lo que piensa ni lo que hace con su vida. Antes no era así, y por eso su madre se pregunta qué es lo que le ocurre. En el fondo, tiene miedo. Hasta ahora podía controlar a su hija, porque sabía todo lo que ésta pensaba y hacía. Ahora el contacto se ha roto, y ella ha perdido el control. «¿Qué será de mi hija si yo ya no puedo protegerla? ¿Y cómo puedo protegerla si ella no se me confía? El hecho mismo de que no se me abra ¿no es señal de que le pasa algo? Si todo le fuera bien, hablaría como antes; pero ha sellado sus labios porque hay algo que no quiere revelar»... Crece la incomodidad mutua, y aumenta el miedo. Y el miedo agrava más aún el daño causado a la delicada relación. La hija percibe los miedos de la madre y se cierra más todavía. Quizá hablaba menos en los últimos tiempos, simplemente por la natural confusión de la adolescencia, por el susto ante la vida, por el valor recientemente descubierto de la intimidad personal; pero ahora conoce las sospechas de su madre, y eso le infunde sospechas a ella misma. El miedo engendra el miedo, y las comunicaciones se cortan. El proceso es claro, pero a una madre cariñosa le cuesta entenderlo. El distanciamiento de la hija hace sentirse insegura a la madre, y toda la familia sufre por ello.

La inseguridad con respecto al bienestar de una persona a la que queremos nos hace sufrir, sobre todo cuando esa inseguridad se extiende a nuestra misma relación con ella. Amo a mi amigo, aprecio su amistad, disfruto con su compañía y me regocijo pensando que esta intimidad durará para siempre. Pero un día me entran sospechas y concibo dudas. Ya no viene a verme con tanta frecuencia. Cuando habla, suena lejano. Cuando escucha, se distrae. ¿Se estará enfriando nuestra amistad? ¿Habré hecho yo algo que le haya disgustado? ¿Habrá encontrado a otro amigo cuyo trato le resulta más gratificante?... Empiezo a sentirme inseguro con él, y mi reacción consiste en volverme más posesivo. No quiero perderlo, y por eso, en mi miedo a quedarme sin su amistad, me aferro a él.

Eso es precisamente lo peor que puede pasarle a nuestra amistad. Quiero asegurarme de que no se va a ir de mi vida, y trato de apaciguarlo, de convencerlo, de coaccionarlo, de atarlo... Y él, naturalmente, se molesta. Nuestra amistad estaba basada en la libertad mutua, la confianza y la transparencia, y ahora, de pronto, yo me vuelvo suspicaz, irracional y exigente. Él lo nota enseguida y, precisamente porque nuestra amistad estaba delicadamente ajustada y cuidadosamente afinada, le choca mucho más, y se siente distanciado. Quizá mi primera sospecha era pura imaginación mía; quizá era una etapa de cansancio afectivo, como es normal en toda relación; quizá era una nube pasajera... Pero ahora mi inseguridad y mi miedo han hecho de ello un serio conflicto. Mi inseguridad le ha sido comunicada y ha provocado en él una reacción similar. Ahora es él quien se siente inseguro con respecto a mí y a mi amistad. La desconfianza mutua crece al pensar yo que fue él quien empezó a manifestar los primeros síntomas de distanciamiento, y él está convencido de que fui yo. La situación es tanto más difícil cuanto que no hay una causa concreta que se pueda indicar, discutir, aclarar... La distancia aumenta, y la amistad peligra. Toda relación insegura origina problemas.

Por el contrario, una seguridad básica, dentro de las vicisitudes del errabundo corazón humano, es el mejor cimiento para una larga amistad. Conozco a mi amigo, entiendo sus cambios de humor, respeto sus silencios...; he aprendido que a veces las largas ausencias, con tal de no obsesionarse por ellas ni ceder a dudas infundadas, propician reencuentros felices. Los alejamientos temporales son parte normal de la relación más íntima, y no deberían ser motivo de sospecha, sino ocasión de un mayor acercamiento. Yo puedo esperar, me mantengo firme, no abrigo sospechas, no voy a vengarme imponiendo mi ausencia cuando acabe la suya. Le dejo libre, precisamente porque sé que me quiere; y cuanto más sea él mismo, más encontrará dentro de sí el amor que me tiene. Es lo opuesto a la ansiedad por poseer, dominar, controlar afectivamente a la otra persona. La libertad es la base del amor, y la ausencia de todo miedo es esencial para la libertad.

El siguiente ejemplo puede resultar un poco cómico, pero no lo fue cuando me sucedió, hace ya algún tiempo. Una mujer casada vino a decirme que quería separarse de su marido. Después de que yo le hiciera las pacientes preguntas de rigor para averiguar la gravedad de la situación y las posibles soluciones, ella reveló sin ambages el motivo determinante de su radical decisión: «Quiero separarme de él porque me temo que él quiere separarse de mí, y no quiero que se me adelante». La mejor defensa es el ataque. Temo que la otra persona va a atacar, y entonces me adelanto yo a hacerlo. Aquella mujer necesitaba absoluto secreto para llevar a cabo su plan, y yo, desde luego, no iba a decir una palabra; pero las actitudes internas se transparentan, los pensamientos hablan, los planes se traicionan a sí mismos, y era más que probable que para entonces su marido hubiera percibido ya los miedos de su mujer, y podía muy bien estar preparando un golpe semejante: «Voy a separarme de ella antes de que ella se separe de mí». Cada uno actúa por miedo a que vaya a actuar el otro. Si este miedo no existiera, es posible que ninguno de los dos pensara así.

La inseguridad crea más inseguridad, el miedo engendra el miedo, y al final dos personas que podían muy bien haber resuelto sus diferencias en diálogo amistoso se encuentran un día frente a frente en los tribunales. Muchos hogares se han roto por una inseguridad inicial que no se descubrió ni se curó a tiempo. La confianza es el gran apoyo del amor.

El arte de concentrarse

Ésta es para mí una de las más importantes lecciones de la vida, y puede enunciarse fácilmente: el secreto de hacer las cosas bien es la concentración. El miedo impide la concentración. Por consiguiente, el miedo es el responsable de que hagamos las cosas mal, sin hacernos justicia a nosotros mismos, quedando muy por debajo de nuestras posibilidades y traicionando nuestras aspiraciones legítimas. El miedo es el gran lastre que rebaja nuestros vuelos en la vida.

La concentración es el alma del trabajo. Se puede tener inteligencia, imaginación, estudios, cultura...; pero, si no hay verdadera concentración en el momento de trabajar, la inteligencia no se empleará a fondo, y los resultados serán mediocres. La concentración es la lente que hace converger todas las dispersas facultades de la mente en el único punto que interesa en el momento; la concentración aúna el pensamiento, la experiencia, la creatividad y la reflexión en el vértice exacto para que se haga luz y se encienda la llama del entender en el estremecimiento de la ciencia que avanza. Los genios son proverbialmente distraídos, es decir, se concentran tanto en sus propios pensamientos que no se fijan en detalles prácticos de sentido común. Al concentrarse en su especialidad, se olvidan de rúbricas y etiquetas, y sus inocentes meteduras de pata hacen reír a sus admiradores, que se alegran al ver que sus héroes, a fin de cuentas, son humanos. Por el contrario, los psicólogos definen al neurótico como una persona que se interrumpe a sí misma, como una distracción ambulante, como un ser aturdido que, por mucho talento y habilidades que tenga, no logra concentrarse en nada y se pasa la vida mariposeando de flor en flor sin asentarse en algo que merezca la pena. La concentración es condición de eficacia en toda actividad y en toda empresa.

Se cuenta de Kant que un día no pudo dar clase porque uno de sus alumnos se había puesto un chaleco rojo. El filósofo comenzó su clase como cualquier otra, con el repetido ritual que le facilitaba la concentración y lo llevaba a las más sublimes alturas del pensamiento abstracto. Se quitó el sombrero, dejó el bastón, ajustó la silla, adoptó su postura de siempre y comenzó a hablar con frases cortas y largas pausas, mientras su vista se paseaba por el familiar escenario de paredes, bancos y rostros. Y de pronto se detuvo. Algo había allí que estaba interrumpiendo el ritual, cortando el paso, cegando los sentidos. Ya lo tenía. En aquel rincón. El color rojo, descarado, agresivo, del chaleco de un estudiante. Había que vencer el obstáculo. El profesor comenzó de nuevo, miró otra vez, recorriendo con paz filosófica el paisaje escolar. Todo fue bien hasta llegar a aquella mancha roja. Allí estaba otra vez. ¿Cómo puede uno seguir con razonamientos bien hilados cuando una mancha roja impide todo intento de pensamiento organizado? El alumno, desde luego, ni siquiera imaginaba los estragos que su chaleco nuevo estaba causando en la mente del profesor, y la clase entera empezó a preguntarse qué estaría ocurriendo para que las cosas no marcharan y la lección no fluyera como de costumbre. El profesor hizo todo lo que pudo, hasta que al fin, con la humildad que caracteriza a los grandes hombres, señaló el color enemigo que cerraba su pensamiento. Fue la mejor lección del día. Sin concentración, ni el más eximio filósofo puede poner orden en sus pensamientos y dar la clase cuidadosamente preparada. ¡Qué cosa tan frágil es la concentración, cuando un chaleco rojo en una sala cerrada basta para echarla por tierra...!

En la India hay un pájaro, cuyo nombre no he llegado a conocer, que emite con su garganta un ruido sordo y continuado, como el de un globo que se desinflara. Ése es su canto o su grito, y el no saberlo me causó algún problema en los comienzos de mi actividad docente. Estaba yo un día dando clase de matemáticas a un centenar de chicos y chicas listos como el que más y ansiosos por aprender lo más posible en el mínimo tiempo. Mi entusiasmo respondía al suyo, y disfrutaba yo en clase al ver lo pronto que entendían y lo agudamente que reaccionaban. Debía tener cuidado, sin embargo, porque un centenar es un buen número, las matemáticas son abstractas, y la menor distracción puede echar a perder el mejor teorema. Por eso trataba de imponer silencio absoluto, exigía atención total y no permitía libertad alguna en clase. Sólo en una atmósfera de absoluta concentración podía yo hacer justicia a la asignatura, a los estudiantes y a mí mismo.

Aquel día, pues, mientras desarrollaba yo una complicada demostración en el tablero, de espaldas a la clase, oí, en medio del silencio acostumbrado, lo que yo creí que era el absurdo ruido de un globo que se desinflaba. Me quedé de una pieza. ¿Qué espíritu travieso se atrevía a profanar mi clase con aquella broma de mal gusto? Me volví como un rayo. La clase entera seguía imperturbable. ¿Habría sido una alucinación mía? Nadie se movió. Me volví hacia el tablero y proseguí con la demostración, en un alarde de fuerza de voluntad. Pero, al poco tiempo, el mismo ruido, claro, lento, irritante, volvió a distraerme. ¿Quién diablos podría ser? Seguí disimulando un rato, con la esperanza de pillar al culpable con las manos en la masa. El ruido volvió a repetirse una tercera vez, y yo exploté. Les dije a mis atónitos alumnos que, si así era como querían portarse, podían buscarse otro profesor desde aquel momento; que las matemáticas eran un asunto demasiado serio como para ser tratado con tal ligereza; que ellos sabían perfectamente quién era el culpable; y que mientras éste no confesara y pidiera perdón, no habría yo de continuar con mi explicación ni dar ninguna otra clase.

Me salió bien el discurso, con la indignación rotunda de mi dignidad ofendida, y los alumnos lo escucharon con la mirada baja y el corazón encogido. Pero entonces, ¡horror!, mientras yo estaba hablando, el pájaro volvió a hacer oír su voz. Yo bramé: «¿Quién se ha atrevido a hacerme eso a la cara?». Silencio y ojos bajos. Yo estaba ya a punto de llamar a la santa inquisición, cuando una chica en el primer banco, con un coraje mayor que el que correspondía a su edad, se levantó y me dijo recatadamente: «Padre, es un pájaro». «Con que un pájaro, ¿eh? ¡Estás tú lista...! ¡Ya pillaré yo a ese pájaro!». Ella, sin inmutarse, extendió el brazo y señaló, a través de la puerta que había quedado abierta por el calor, el techo del pasillo que recorría toda el ala del edificio. Yo seguí la dirección del dedo con la mirada, bajé del estrado, salí al pasillo... y me enfrenté a la evidencia. Allí estaba. El pájaro me miró y emitió su acostumbrado grito. De modo que era eso... Demostración perfecta. Espanté con la mano al pájaro, que salió volando por el pasillo hasta la puerta de la clase siguiente, donde podría abrigar la esperanza de que hubiera un profesor mejor conocedor de la fauna de la India que yo. Volví a mi clase y empleé el tiempo que quedaba en atender a preguntas de los alumnos. Había perdido el hilo, y el teorema ensayado tendría que esperar a otro día. Todo acabó bien, pero siempre me ha quedado la oscura sospecha de que algún muchacho poco amante de las matemáticas hubiera colocado el pájaro frente a mi clase.

Además de un gran matemático, G.H. Hardy era un gran amante del criquet. Su amigo, el escritor C.P. Snow, trató de conseguir que Hardy escribiera un libro sobre el excelso juego, epítome de toda la cultura, tradición y refinamiento ingleses, y del que él tanto entendía y disfrutaba. El título del libro iba a ser *Un día en el óvalo,* y llegaron a discutir entre ambos los temas y capítulos que debería contener; pero el libro no llegó a escribirse. Sin embargo, sí se salvó una de las anécdotas que habrían formado parte del libro y que revela el humor del serio personaje a quien le sucedió: en cierta ocasión, un importante partido que estaba presenciando Hardy-hubo de ser interrumpido porque, cuando el bateador ocupaba su puesto, sus ojos quedaban deslumbrados por una aguda luz. En un día de sol, cualquier gracioso con un espejo en la mano y estratégicamente situado puede dirigir el reflejo del sol a los ojos de cualquiera y cegarle momentáneamente. Justamente eso era lo que alguien estaba haciéndole al jugador que ocupaba el medio del campo en el momento crítico, y el sacrosanto juego no podía continuar con semejante trastorno. Una vez que el árbitro hubo detenido el juego, se procedió a averiguar discretamente cuál era la causa del incidente, a fin de ponerle enseguida el remedio adecuado. El problema fue que la zona del graderío desde donde podía proceder el molesto rayo de luz coincidía con los asientos reservados a la presidencia y a los invitados selectos. ¿Cómo podía ser alguna de aquellas respetables personalidades quien cometiera tan infantil travesura en un juego tan sublime? Los encargados redoblaron la delicadeza y el tacto en su búsqueda, y al fin lograron identificar al culpable, que no era otro que el arzobispo del lugar, gran aficionado al juego. La gran cruz pectoral que descansaba sobre su pecho hacía exactamente el ángulo requerido para la denostada reflexión, y el pulido metal enviaba los rayos del sol con cruel puntería. El rubor del arzobispo, cuando fue delicadamente invitado a ocupar otro asiento, y el mal disimulado regodeo de los circunstantes supusieron una auténtica fiesta para Hardy, ateo como era y en discordia permanente y divertida con Dios, la Iglesia y las autoridades eclesiásticas. Aquel día disfrutó más del incidente que del mismo juego. La santidad de la causa del supremo juego había sido mantenida. Nada debe distraer a un jugador de criquet que cumple con su deber en el campo, ni siquiera la santa cruz de un dignatario eclesiástico.

Los deportistas necesitan una extraordinaria concentración si desean hacer algo realmente meritorio. Es un verdadero gozo —y una gran lección de vida, si se sabe apreciar su valor y aprovecharse de su ejemplo— observar a un jugador de golf mirando con todo su cuerpo a la pelota antes de efectuar el milimetrado «swing»; o a un portero que se prepara a detener un penalty; o a un jugador de tenis que calcula el servicio fulminante a ras de red. He observado que algunos jugadores y jugadoras de tenis, cuando sirven, se guardan para un posible segundo servicio otra pelota en el bolsillo o, si el bulto en el bolsillo les resulta incómodo o antiestético, en un soporte especial que llevan sujeto por detrás en la cintura y del que pueden sacar la pelota con facilidad con sólo llevar la mano atrás, sin necesidad de volver la mirada. Pero ¿por qué no pueden, me preguntaba yo la primera vez que observé el aparatito, pedirle sencillamente a los «recogepelotas» que les den otra, cosa que éstos harían inmediatamente de mil amores? La razón es que, si hiciera eso, el tenista se distraería y perdería concentración. Para el primer servicio ha tensado y enfocado sobre el estrecho rectángulo de recepción todos los sentidos, miembros, músculos, pensamientos y energía; y si el primer cañonazo falla, y tiene que volver a pedir otra pelota, toda la magia del primer esfuerzo quedará rota, y tendrá que volver a concentrarse, con la consiguiente pérdida de energía vital. En cambio, con la otra pelota esperando paciente y segura desde su discreta percha a la espalda, si falla el primer servicio, no tiene más que doblar ligeramente el brazo hacia atrás, recoger la pelota de repuesto y levantarla a la altura prevista, sin pérdida de concentración en el instante decisivo. La concentración es valiosa, y no hay que dejar que nada la estropee. El buen jugador en cualquier deporte ensaya movimientos y prepara emergencias para conseguir la máxima concentración en los momentos clave del juego. Ése es el secreto de la victoria.

Conozco a un exitoso hombre de negocios que, de simple empleado en una empresa, llegó a dueño y directivo de otra gran empresa del mismo ramo. Nunca le pregunté cuál era el secreto de su espectacular ascenso en los negocios, pero lo observé cariñosamente de cerca. En su casa se entregaba totalmente a lo que tuviera entre manos en ese momento, ya se tratara de arreglar un juguete de su hijo o de planear una salida con su mujer, o de comer, o de charlar... De los negocios no se hablaba jamás en casa. En cambio, en cuanto se introducía en su automóvil para ir a la oficina cada mañana, cambiaba visiblemente en cuestión de minutos. Su mente estaba ya en los negocios, su rostro se contraía, se le veía repasar mentalmente el trabajo diario de la fábrica, conducía en silencio y concentrado... Al llegar a su despacho, se instalaba en su sillón y respondía con precisión profesional todas las preguntas técnicas que se sucedían sin interrupción. Era otra persona.

Su capacidad natural para concentrarse en el asunto presente mientras fuera necesario, y de borrarlo totalmente de la cabeza en cuanto dejaba de serlo, era el rasgo de su carácter que le había hecho subir tan alto y tan rápidamente. Don envidiable de concentración instantánea. No hace falta insistir más. En los negocios, en el deporte, en los estudios, en la vida..., el poder de concentración es la clave de la acción pronta y eficaz. Para conocer, en consecuencia, los obstáculos que no nos permiten alcanzar los niveles de productividad, creatividad y satisfacción que podrían ser nuestros, haremos bien en examinar los factores que debilitan nuestra concentración. Éstos pueden ser varios, y con frecuencia ocultos; pero un factor de gran influencia suele ser el miedo y la inseguridad. Cuando nos sentimos inseguros, perdemos al instante la concentración. Por mucho talento, experiencia, interés y determinación que tengamos, si en el momento de entrar en acción nos encontramos dudosos, inciertos, inseguros, toda nuestra preparación resultará inútil, y el resultado quedará muy por debajo de nuestras posibilidades. El miedo anula la concentración, y la falta de concentración estropea el trabajo.

Imaginemos a una persona que está viendo una película interesante en un cómodo cine. Normalmente, estaría absorta y absolutamente concentrada en la enrevesada trama. Pero supongamos que esa persona sabe que una banda de asesinos anda buscándola y que pueden aparecer en cualquier momento en el cine y liquidarla allí mismo. ¿Va a poder seguir la película con tranquilidad? No es probable. Mirará hacia atrás, vigilará los rincones, sospechará de todo movimiento y tratará de escapar al menor indicio de peligro. Aunque mire la pantalla, no verá lo que hay en ella, ni se quedará hasta el final sólo para ver cómo acaba la película. Está atemorizada y no puede concentrarse en la trama. El miedo impide la concentración.

Mis estudiantes me preguntan con frecuencia: «¿Por qué no puedo concentrarme?». Muchas son las razones, y muchas las circunstancias. Cada persona es distinta, y su falta de atención puede deberse en cada caso a una combinación única de factores individuales y diversos. Pero, en general, he llegado a una conclusión que ayuda a entender muchos casos y a explicárselos a las propias víctimas. La conclusión es que, a mayor inseguridad, mayor dificultad en la concentración; por el contrario, los estudiantes que tienen mayor seguridad psicológica son los que se concentran con mayor facilidad en sus estudios o en cualquier cosa que hagan. El estudiante equilibrado suele tener un hogar sano y unido, así como un círculo de amigos entre los que se mueve con libertad y confianza; suele tener también seguridad económica y buena salud. Pero, si algo desagradable ha ocurrido en la historia de su familia o en su propia experiencia, creando un fondo de desconfianza u ocasionando una oculta herida, comienza a sentirse inseguro y amenazado, y su poder de concentración disminuye. Se vuelve nervioso, agitado, inestable. Y cuando logra disponer de unas horas para preparar un examen, no le aprovecha mucho el esfuerzo. Abre un libro porque piensa que ésa es la asignatura más importante, pero pronto lo deja y toma otro, porque, pensándolo bien, esta otra asignatura es más difícil, y por eso debe ser la primera. Si la cadena se rompe una vez, se rompe otra. Deja el segundo libro y toma un tercero. O quizá vuelva a tomar el primero, que ahora ve claramente que era el que de veras importaba... Y comienza a pasar páginas furiosamente, hasta que lo deja por otro. Nada dura en sus manos y, desde luego, nada entra en su mente. Su mismo cuerpo es testigo de la inestabilidad de su mente. La silla baila mientras él cambia de postura, se apoya en un pie, en el otro, da la vuelta a la silla para sentarse a horcajadas..., y vuelta a la primera postura. Y así sucesivamente.

Pronto su organismo postula la pausa ritual. El té sagrado. Tiene a mano el hornillo de queroseno, con su sofisticado alfiler para limpiar el agujero de escape cuando se obstruye, el té en polvo, el azúcar y la leche. La ceremonia lleva tiempo, y en eso precisamente reside su valor. Hay que hervir la leche, verter el té, añadir el azúcar, revolver la mezcla, llenar las tazas, repartirlas y disfrutar de la bebida de los dioses en buena compañía. La compañía es importante, porque el compañero invitado a participar de la infusión se sentirá obligado a devolver la invitación antes de una hora, con lo cual queda asegurada otra pausa en la tarea, y se puede volver a hacer frente a la vida con todas sus cargas.

He vivido muchos años en una residencia de estudiantes y he tenido muchas ocasiones de observar los variados e ingeniosos recursos que emplean los estudiantes para romper la monotonía de la concentración escolar. Hablar, mirar, tararear, chupar, levantarse, sentarse, pasear, dormir... Todo menos la seriedad del esfuerzo medido y continuado. Y el resultado es que las horas pasan, y nada se queda en la cabeza. He visto a un muchacho leer una a una todas las páginas de un capítulo del libro de texto, y le he preguntado al acabar: «¿Qué has leído?». La respuesta resignada fue: «No me acuerdo». Lectura rápida y olvido aún más rápido. Actividad externa sin concentración interna. El resultado aparecerá impreso en la lista oficial, a la vista del público, al final del curso.

Recuerdo el de un estudiante de gran inteligencia y buena educación que, sin embargo, y a pesar de todos sus esfuerzos, no conseguía concentrarse en ninguna de las asignaturas. Lógicamente, sus estudios estaban en peligro, porque no lograba superar el mínimo requerido para poder proseguir. Su falta de concentración era chocante. Incluso en el transcurso de una conversación ordinaria, o leyendo el periódico, o viendo la televisión, se distraía, se interrumpía para hacer alguna otra cosa, y volvía a interrumpir la interrupción con otra momentánea actividad, en una conducta atomizada cuya única constante era la falta de constancia. Era la imagen viva de la distracción perpetua. Su historia personal tenía algo que ver con ello. Cuando todavía era muy pequeño, había sido abandonado por sus padres, recogido por un sirviente de la familia, que se apiadó de él, y posteriormente integrado en la ya numerosa familia de un pariente lejano, en la que se crió bien, pero siempre con el complejo, constantemente sentido y nunca expresado, de su origen frustrado. Marco perfecto para una inseguridad permanente. El sentimiento estaba oculto, desde luego, y sus nuevos padres lo cuidaban con tal cariño que no permitían ver el problema latente bajo el aparente bienestar.

Aquel magnífico muchacho vacilaba en el mismo fondo de su alma. Su pasado incierto le carcomía por dentro. La herida del primer abandono no había cicatrizado nunca; la angustia de pasar de mano en mano lo había marcado; la fricción de vivir en una casa como un extraño continuaba dañando su sensibilidad; la imposibilidad de fiarse de nadie pesaba como una losa sobre su vida; y el temor a ser nuevamente abandonado, traicionado por los seres más cercanos, y la posibilidad de quedarse solo ante un mundo hostil, continuaban socavando las seguridades de su alma delicada. Sufría de una inseguridad radical, y esa inseguridad era la que no le permitía prestar atención continuada a nada. Su pensamiento saltaba enseguida, dudaba, cambiaba. Cuando los pies no están firmes, ni el mejor tirador puede dar en el blanco. Al joven muchacho le temblaban las piernas, y no podía tener puntería. No podía concentrarse, por más que lo intentara; y todos los cariñosos consejos de sus padres y todas las regañinas amenazadoras de sus profesores no conseguían más que sacudirlo más y aumentar su inseguridad. En semejantes circunstancias, no podía progresar en sus estudios, ni emplear su inteligencia, ni fiarse de su memoria. No era capaz de concentrarse, y así no podía usar sus propios recursos. Si quería acabar con éxito la carrera, tendría que recobrar la confianza perdida en sí mismo, en los demás y en la vida. Un diagnóstico no es una solución, pero prepara el camino para la acción en todos aquellos que tienen la buena voluntad y el genuino interés de ayudar y ayudarse. Más importante aún que conseguir un título académico es descubrir la herida de la inseguridad y curarla. Y eso se aplica a todos nosotros.

Una noche en el hospital

El miedo a la soledad es, esencialmente, el miedo a encontrarse con uno mismo. Cuando alguien teme quedarse solo, no es que tenga miedo a la oscuridad, o a los duendes, o a caerse, o a que le atraquen...; o quizá son todas esas cosas y muchas más en la superficie de la mente, pero en el fondo del corazón lo que le hace sentirse mal y desear compañía es el miedo a tener que enfrentarse consigo mismo. Un compañero es fundamentalmente una distracción. Se habla, se sonríe, se mira, se siente una presencia, se sabe que alguien está al lado..., y con eso queda uno liberado de la amenaza de tener que pensar en sí mismo. Y si, en lugar de un solo compañero, son varios, tanto mejor: se habla más fuerte y de más cosas, y el peligro de tener que converger en uno mismo se hace más remoto. Pero poco a poco la gente se va marchando. Cada despedida hace que se acerque el momento de la verdad. Por muy buena voluntad que tengan, no pueden quedarse para siempre. Su bondad retrasa su partida, y el momento inevitable se aplaza mientras queda el último. Pero, finalmente, éste también se va. Se hace la oscuridad. La persona solitaria puede refugiarse en un libro o en un disco o en la televisión, pero sabe muy bien que ésas no son más que estratagemas para ganar tiempo. El desenlace llega sin piedad. Las voces se callan, las imágenes se esfuman, y la soledad se apodera de todo. Y llega el encuentro temido.

La mirada se vuelve inevitablemente al pasado. Memorias, incidentes, historias que se pueden contar a otros en tertulia animada; pero también memorias más personales que no son para el público, y, más que memorias, todo lo que en la vida ha ido significando actitudes y valores, opciones tomadas y posiciones defendidas que parecían ser las auténticas entonces, pero que el paso del tiempo ha hecho dudosas o falsas. Han cambiado los puntos de vista, y lo que parecía laudable hace algún tiempo, ya no lo es; y acciones de las que uno se enorgullecía quedan ahora mejor en la penumbra. Llega el miedo a cuestionar el propio pasado, a volver a sopesar decisiones y evaluar la vida. Quizá la vida entera aparece ahora vacía, cuando ya no se tiene ni el valor para verlo ni la fuerza para cambiar. Por eso hay que evitar esa visión, y para evitarla hay que huir de la soledad que lleva al temido careo.

La situación cobra más fuerza en el caso de una persona de edad avanzada; pero en realidad puede afectar a cualquier persona de cualquier edad ante la prueba de la soledad. La soledad lleva al examen, y eso es lo que la hace amarga. Un joven emprendedor participa activamente en una campaña en favor de una noble causa; una campaña orquestada a lo grande, con un complejo aparato publicitario y que exige de sus muchos colaboradores grandes dosis de entusiasmo, trabajo y sacrificio personal. El joven está sinceramente comprometido con su compleja tarea y no tiene tiempo para descansar. No tiene tiempo para pensar. No tiene tiempo para estar solo; no puede permitirse el lujo de estarlo. Lo cual no significa que su trabajo le obligue a tener siempre algún colaborador a su lado para ayudarle; lo que significa es que, si cede a la debilidad de quedarse solo por un momento y pararse a reflexionar, posiblemente vea que todo lo que está haciendo es inútil y le entren ganas de dejarlo. Pero no puede correr ese riesgo, y por eso no puede estar solo. De ahí su miedo a la soledad. Y de ahí su empeño en no parar nunca de trabajar, para no tener que estar nunca a solas consigo mismo.

Él afirma ser sociable, gregario y extrovertido por naturaleza, y que por eso necesita estar siempre rodeado de gente. La verdad es que sospecha que todo el impresionante trabajo que está llevando a cabo, aunque parezca perfectamente laudable y goce de un aprecio unánime, en realidad no es más que el resultado de su propia sed de poder, de su orgullo y de su ambición. Si se retira por un momento y se mira honestamente a sí mismo en el espejo de su conciencia, lo descubrirá al instante; por eso no puede permitírselo.

Dice que tiene miedo a la soledad; pero lo que realmente teme es la verdad. La sencilla y desnuda verdad de que no todo cuanto está haciendo es tan maravilloso y desinteresado como parece. La soledad invita a la reflexión, y la reflexión puede ser dolorosa. Mejor no saber. Mejor no pensar. Mejor seguir rodeado de gente a todas horas para no tener la oportunidad de fijarse en sí mismo. Así podrá seguir sin problemas...

El miedo a quedarse solo es también miedo a aburrirse. Puede que seamos muy divertidos para los demás, pero seguramente no lo somos tanto para nosotros mismos. Estar con otros es gratificante y distraído; estar solo es insoportablemente tedioso. Lo que llamamos «aburrimiento» no es más que incapacidad de estar a solas con uno mismo. Sabemos que nuestros recursos son limitados y tememos depender exclusivamente de ellos. Hemos hecho reír a otros mil veces con nuestros chistes y nuestras anécdotas, pero no vamos a reír nosotros nuestras propias gracias. No hay mucho en nuestra vida que sea interesante y divertido, y nos duele reconocerlo. Aburrirse es, en cierto modo, reconocer lo poco que somos (un hombre sabio decía que sólo se aburren los tontos); y para evitar tal veredicto eludimos el juicio.

El hombre y la mujer modernos hacen todo lo posible por no sentirse solos. Miran la televisión, mantienen la radio encendida, hojean un periódico aunque no lo lean, como tampoco escuchan la radio ni ven la pantalla. El tacto del papel, el sonido del receptor y los vivos colores de la televisión crean la impresión de compañía y alejan la soledad, drogando los sentidos. La gente se siente sola incluso —y quizá especialmente— en medio de la multitud. Eso es al menos lo que proclaman a gritos los auriculares que adornan tantas cabezas por las calles abarrotadas de la vertiginosa ciudad. Necesitamos la música en los oídos para no sentirnos solos entre los codazos de la multitud. «Llena mis oídos de música, ya que no puedes llenar mi alma de paz». No todos los que escuchan música incesantemente lo hacen por amor a la música. No todos los que aplauden, gritan y mueven espasmódicamente sus cuerpos en un concierto al aire libre lo hacen porque les entusiasme el espectáculo. Muchos lo hacen por la necesidad de pertenecer al grupo, de alejar la soledad, de sentirse en comunión con la multitud que canta y baila al unísono y le proporciona a uno la efímera sensación de no estar solo. Los verdaderos actores en tales casos no son los cantantes en el escenario, sino los oyentes sobre el terreno. Y la finalidad del espectáculo no es disfrutar del arte, sino combatir la soledad. Hacer ruido para espantar a los fantasmas.

Conozco a una joven que, influenciada por ciertas corrientes ascéticas, decidió y anunció que guardaría silencio total los domingos. Los votos de silencio no son raros en la India, pero sí resultaba algo chocante en una joven muchacha de alegre carácter. Explicó a su familia y a sus amistades que haría vida normal los domingos en casa, y aun saldría si hacía falta para cualquier cosa, pero no pronunciaría una sola palabra. Yo iba adrede a su casa los domingos para hacerla rabiar con mi presencia y disfrutar del indignado encanto de su indefenso silencio. Y esperé los acontecimientos, que no tardaron en producirse. El primer domingo tuvo dolor de cabeza. El siguiente, se quedó todo el día en su cuarto. Aguantó algunos domingos más, desquitándose siempre el lunes del silencio dominical..., y pronto volvió a la vida normal y se acabaron los silencios. Su aventura ascética no prosperó.

Pasarse veinticuatro horas sin hablar no es una gran hazaña en sí. Pero el aislamiento mental que ese silencio significa y ocasiona puede resultar intolerable para un carácter activo. Hay que hacerse bastante violencia para permanecer callado cuando otros hablan; y el buscar la soledad para evitar la compañía dialogante de otros es tanto como provocar los problemas que puede ocasionar el quedarse a solas con los propios pensamientos. Lo gravoso del silencio no es tanto la disciplina de refrenar la lengua cuanto la incomodidad de encontrarse con uno mismo. Miedo a nuestra propia sombra.

Los maestros espirituales observan que incluso en la oración tendemos a hablar demasiado y solemos preferir el sonido de nuestras voces al silencio. En el Sermón del Monte, el propio Jesús ya advirtió del abuso de la palabrería en la oración, en la que también hablamos para no tener que oír; en este caso, oír lo que Dios quiera decirnos a través de nuestra conciencia. Ahogamos la voz interior con nuestras palabras y llenamos el silencio con los razonamientos de la mente. No escuchamos, y por eso no vemos. Renunciamos a presentarnos humildemente ante Dios y abrirnos a su presencia. Preferimos la «seguridad» de nuestros pensamientos, por inseguros que sean, antes que aceptar el reto nuevo y la llamada inesperada. Hablamos tanto que nos incapacitamos para reflexionar. Evitamos la soledad, aun en la oración, para evitar el juicio.

Después de una larga visita a un amigo enfermo en el hospital, me levanté y tomé su mano mientras él seguía tumbado en la cama. Mi amigo retenía mi mano, sin querer soltarla, con la suya, caliente por la fiebre y húmeda por el sudor. A través del expresivo lenguaje de aquel gesto mudo, sentí la importancia de aquel momento para el enfermo, que se despedía del último visitante del día y se disponía a pasar una noche más de soledad amarga. No era el dolor físico, el peligro o la fiebre lo que le angustiaba, sino el oscuro miedo a una noche más a solas consigo mismo en la habitación del hospital. Era un hombre activo, que cada noche caía dormido en cuanto su cabeza tocaba la almohada tras una jornada de incansable actividad. Pero la enfermedad le mantenía inactivo, y la larga noche de insomnio se cernía amenazadora sobre él. ¿Cómo soportar tantas horas en la soledad de las sábanas casi hostilmente blancas? Él era un hombre fuerte, pero conocía su debilidad. Con mi mano todavía en la suya, murmuró, más para sí que para mí: «No te vayas; tengo miedo…». Depresión momentánea ante el ataque de soledad. Tendría que ser él mismo, y sólo él, en la larga noche insomne. Aflojó poco a poco el apretón de su mano, miró hacia el otro lado y se dispuso a enfrentarse a la noche. ¿No es la vida entera una noche en el lecho de un hospital?

El gran huésped

Desde que nacemos, la sombra de la inseguridad nos acompaña como recuerdo inmisericorde de nuestra mortal condición, y se alarga cuando se acerca el invierno y desciende el frío sobre los paisajes de la vida y el corazón humanos. Caen las últimas nieves, que ya no veremos derretirse, sobre las hojas caídas, que no volverán a reverdecer. Emprenden su último vuelo las aves migratorias, que no volveremos a ver cuando retorne la bandada la próxima primavera. La lenta despedida que la naturaleza firma en nuestros horizontes terrenos con la artística tristeza de la última rúbrica. Signos del último adiós y, por tanto, de nuestra inseguridad final al dejar la escena. Nos vamos, y no sabemos adónde. La incertidumbre del primer nacimiento queda reflejada en la incertidumbre del último, como términos paralelos que acotan con precisión simétrica la vida del hombre y la mujer sobre la tierra. Morir es volver a nacer, y las memorias, el trauma y la ansiedad del primer momento se repiten en el último. El recuerdo original se ha proyectado a través de toda la vida, ha tocado cada instante y ha marcado cada evento, y ahora sella el punto de llegada con el mismo rigor con que selló el punto de partida. La última incertidumbre en la larga serie de incógnitas. Las puertas de la muerte al final del camino de la vida. Y el último resto de valor para atravesarlas.

La muerte es despedida. Y la despedida es dejar algo conocido y abrirse a algo nuevo. Despedirse es siempre doloroso, y por eso la muerte, significada y preparada por todas las despedidas parciales a lo largo de la vida, nos hace sufrir en el último adiós a cuanto conocemos y queremos. Cada viaje es un preludio de muerte. Cada adiós es extremaunción. Cada aeropuerto o estación de ferrocarril es una antesala del cementerio, no por las bombas y accidentes, sino por la separación de que es testigo entre nosotros y aquellos a quienes amamos. Lo violento del momento, la imposibilidad de encontrar algo decente que decir, el fastidio cuando la salida se retrasa, no porque vayamos a llegar tarde, sino porque seguimos atascados aquí un rato más con los que han venido a despedirnos, sufriendo y haciendo sufrir a todos. Les rogamos que nos dejen y se vuelvan, pero ellos insisten en cumplir hasta el final con su deber de verificar nuestra salida; y la agonía de los buenos modales se prolonga por ambas partes sin remedio. Por fin, la separación, el último beso, tierno con el deseo de no callar el amor, y retraído ante la presencia profana de la cercana multitud; y luego el primer instante de soledad, el oscuro velo, el sentir sombrío, el corazón dolorido, la mente embotada, y el cuerpo que avanza mecánicamente por corredores carcelarios y puertas automáticas hacia lo desconocido.

Hemos ensayado la muerte muchas veces en nuestra vida. Cada vez nos acercamos un poco más a su abrazo. Cada separación conlleva mayor urgencia, al medir nosotros inconscientemente su distancia cada vez más próxima respecto de la anterior. Pero las despedidas no se hacen más fáciles con la práctica, sino más difíciles. Y la última despedida es la peor. Es despedirse de todo y de todos para siempre. Eso es lo difícil de morir.

Kálelkar escribe en su libro *La muerte, nuestra mejor amiga:* «La muerte es dolorosa porque conlleva separación; pero, de por sí, no debería inspirar miedo. El miedo a la muerte ha sido añadido por el hombre». El miedo viene de la otra cara de la muerte, la que mira hacia adelante. La muerte es salida de lo conocido y entrada en lo desconocido, y el hombre teme lo desconocido. El eterno complejo de inseguridad. A pesar del fervor de la fe, de las convicciones de la razón, del instinto decidido y del vehemente deseo, el oscuro más allá permanece incierto, y esa suprema incertidumbre lleva el miedo al corazón del hombre y de la mujer. El miedo a la muerte es el miedo básico que queda reflejado en todos los demás miedos de la vida, la suma total de todos los miedos parciales, la raíz de donde todos los demás miedos dimanan. El miedo a la enfermedad es miedo a la muerte; el miedo a una tormenta es miedo a la muerte; el miedo a la soledad es miedo a la muerte... Tememos todo cuanto pueda dañarnos, y cada daño es una disminución de la vitalidad, una pérdida de sangre, un anuncio de la muerte. La muerte está presente en todos nuestros miedos, y nuestro último día pesa ya en la carga onerosa de cada día.

La muerte nos pone cara a cara frente a lo desconocido, y por eso la tememos. Peor aún, el encuentro con ella es inesperado, y siempre nos pilla por sorpresa, lo cual aumenta nuestros temores. Sabemos, desde luego, que la muerte ha de venir, y a veces los médicos incluso nos fijan un plazo; y, en cualquier caso, sabemos que no hemos de durar para siempre en este mundo. Pero nunca estamos preparados para la visita, por anunciada que esté. La Biblia llama a la muerte «ladrón». El ladrón viene cuando menos se espera, y nos roba cosas de valor. Por eso tememos a los ladrones.

En la India, a la muerte se le llama «huésped», y es interesante averiguar el porqué. La palabra sánscrita, común en las lenguas modernas indias, para decir «huésped» es *atithi*, que literalmente significa «el-sin-fecha». El verdadero huésped es el que llega sin anunciarse. Ni llamada telefónica ni tarjeta postal con la fecha y hora de llegada. Sencillamente, llama cuando llega; y, cuando se abre la puerta, allí está él, sonriendo y con el equipaje a sus pies, quizás acompañado de su mujer y de sus hijos, para completar la escena. Sorpresa total. Y el amigo sorprendido y generoso abre la puerta de par en par, los acomoda a todos en su casa y no pregunta cuántos días van a quedarse. Si no hay fecha para llegar, tampoco hay fecha para partir. Que la incertidumbre sea completa.

En ese contexto se entiende la alusión. La muerte es el Gran Huésped *(Param Atithi)*. Ni fecha ni hora ni aviso. Llaman a la puerta. Un escuálido esqueleto, con una guadaña y un reloj de arena en sus manos y una mueca pretendidamente sonriente en su descarnado rostro, está en el umbral. Le pedimos que pase. La alfombra roja para el huésped inesperado. Le ofrecemos asiento y le rogamos que se ponga cómodo mientras nos preparamos para acompañarlo. Ya sabemos a qué viene y no queremos detenerlo, pues tiene otras visitas que hacer con la misma misión. Con el aumento de la población, por un lado, y la escalada de la violencia, por otro, está muy ocupado. Allá vamos, alegremente de la mano, echando besos a los que se quedan. No hay preocupación alguna. Él conoce el camino.

Esta idea de la muerte como huésped es el fundamento teológico de esa virtud tan célebre y tan oriental de la hospitalidad, por la que toda puerta se abre y todo huésped es bienvenido, y hasta un enemigo encontrará asilo en la tienda del desierto y podrá permanecer en ella, seguro y respetado, mientras lo desee. La muerte es nuestro huésped y prepara su venida enviándonos mensajeros en vida para probar nuestra preparación y adiestrarnos en la respuesta. Cada huésped es una imagen, cada llamada a la puerta un aviso. Pero no son avisos para asustarnos, sino para quitarnos el miedo, en la medida en que nos enseñan a recibir lo inesperado y lo desconocido con alegre confianza. La hospitalidad es educación y adiestramiento para el anfitrión. La puerta abierta, la sonrisa a punto, el banquete espléndido. La llegada del huésped no es ocasión de llanto, sino de regocijo. El huésped es amable, tenemos lazos de familia con él, nos gusta charlar juntos, comer juntos, enseñarle la ciudad y alrededores, renovar la amistad, reforzar el parentesco... Puede que haya que sufrir alguna molestia al prepararle un digno alojamiento al huésped, arreglar la habitación, limpiar la casa, mejorar los menús, ajustar el horario...; pero el gozo de acoger en nuestro hogar a alguien a quien queremos y apreciamos compensa por el trabajo añadido de esos días. Una visita de familia es una fecha alegre.

La muerte es una visita de familia. Los encuentros con los mensajeros nos han llevado a conocer al Dueño. Hemos adquirido familiaridad y olvidado prejuicios. Ya no nos asusta que llamen a la puerta. Abrimos con tranquilidad, con alegría, con la ilusión anticipada de la feliz visita del pariente querido. La última sorpresa ya no será tal. Hemos pensado tantas veces en ese último personaje al abrir la puerta que, cuando al fin sea él quien aparezca en el umbral, será un encuentro esperado, una revelación deseada. Toda una vida practicando generosamente la hospitalidad es la mejor preparación para una muerte plácida y serena. Reunión de familia. Bienvenida de corazón al Gran Huésped.

Conozco por experiencia propia los beneficios de la hospitalidad india, y puedo decir que durante algunos años viví de ellos. Llamaba de puerta en puerta a hogares que no conocía, pedía hospitalidad, participaba de sus comidas por el día y de su suelo para dormir por la noche, y pasaba a los pocos días a otra casa en el mismo vecindario, recorriendo a veces toda una calle, en una fiesta de intimidad inconcebible en otras latitudes. A veces tuve dificultad para encontrar un techo, pero nunca hube de interrumpir mi peregrinación urbana por falta de acogida. Una vez volvía yo de noche a la casa en que me alojaba aquella semana. Aún me quedaban un par de días en aquella casa antes de tener que pensar en otra, y por ese tiempo podía descansar tranquilo. O eso pensaba yo. Pero al llegar aquel día, ya tarde, me encontré con una situación que había aprendido a reconocer. La mujer de la casa había entrado en sus periódicos días de flujo menstrual, durante los cuales no podía cocinar, lavar, fregar ni hacer tarea alguna en la

casa; lo cual, en la práctica, significaba para mí que tenía
que dejar aquella casa enseguida, para no crearles más
problemas durante las obligadas vacaciones mensuales femeninas. Ellos también lo entendieron y, en medio de su
amabilidad y su imposibilidad de hacer más por mí, res-
piraron aliviados cuando vieron que yo me despedía por
mi cuenta con gratitud, mientras la dueña de la casa per-
manecía sentada en un rincón, con el pelo suelto como
señal de advertencia de su obligada huelga en los trabajos
del hogar.

Era tarde, y la noche calurosa. ¿A qué puerta llamar?
Se me ocurrió una idea. Pocos días antes, yendo en mi
bicicleta a la universidad, otro ciclista, un muchacho joven,
había llegado a mi altura y se había puesto a pedalear al
unísono conmigo. Se había presentado como lector de mis
libros, y habíamos charlado animadamente. Al enterarse
él de cómo vivía yo de huésped itinerante de casa en casa,
me había ofrecido la suya. Recordé entonces que el joven
vivía bastante cerca, y decidí aprovechar su invitación. No
tardé en encontrar la casa. Todavía había luz dentro. Llamé, impulsado más por la necesidad que por la fuerza de
voluntad, y, con gran alivio por mi parte, fue el mismo
joven quien me abrió la puerta. Le expliqué mi apuro, y
él actuó inmediatamente. Sus padres ya se habían acostado,
y él estaba en aquel momento extendiendo sobre el suelo
su estera para pasar la noche. Me indicó que me acomodara
en dicha estera, se retiró a un rincón y me dio las buenas
noches, no sin decirme que a la mañana siguiente ya in-
formaría él a sus padres de que tenían un huésped en casa
desde la noche anterior. Yo me acosté y, mientras trataba
de conciliar el sueño, pensé que no era probable que hubiera otro lugar en el mundo donde se practicara la hospitalidad con tal naturalidad. Al día siguiente, tras saludar
respetuosa y agradecidamente a sus padres, salí de la casa
acompañado por el joven, y volvimos a pedalear juntos,
camino del trabajo, por las mismas calles en que nos habíamos conocido unos días antes. No sé si al recibirme tan

espontáneamente estaban ensayando el último encuentro con el Gran Huésped; en cualquier caso, esa actitud formaba parte de su cultura y de su ambiente, y al obrar así no habían hecho más que cumplir hermosamente con su tradición y resolver mi problema.

Esta actitud latente puede ser parte de la explicación de un fenómeno que he observado repetidamente en la India y que me ha hecho pensar: la gente muere aquí con mayor naturalidad que en Occidente. Hay menos ansiedad, menos preocupación, menos alboroto alrededor de la muerte. No arméis tanto lío, no echéis a repicar las campanas. Sí, me estoy muriendo, ¿y qué? Cuando nos llega la hora, todos nos vamos, y no hay por qué anunciar el hecho a bombo y platillo. En pleno sentido literal y sano de la expresión, dejadme morir en paz. Un amigo mío con sentido del humor dice que en la India, al ir a ver a un amigo en el lecho de muerte, se le saluda alegremente y se le dice: «Me he enterado de que estás en las últimas. ¡Enhorabuena! ¿Qué tal va esa agonía? A ver si esta vez va de veras...». Un detalle de humor tal vez excesivamente negro para nuestro gusto, pero no exento de realismo. Se vive aquí más cerca de la tierra, más abiertos a la naturaleza, rodeados de fe y dispuestos a recibir la última visita del Gran Huésped que, bajo muchos disfraces, nos ha estado visitando a lo largo de toda nuestra vida. Las creencias religiosas tienen grandes y —como en este caso— bellas consecuencias prácticas.

Kársandas Mának, poeta y místico, tiene un poema sobre la muerte como visita-sorpresa del mensajero de Dios. A mí me gustó mucho ese poema cuando lo leí por primera vez, y se lo dije al autor en la primera ocasión que tuve. Él, con la traviesa sonrisa que siempre acompañaba su animada conversación, me contestó: «Me alegro que te guste, y te diré por qué te gusta. El poema es verdadero. La gente cree que nosotros, los poetas, nos imaginamos cosas y situaciones y que luego describimos como real lo que sólo era imaginario. En este caso no fue así. Un día sentí un fuerte dolor en el pecho y llamé al médico, que era amigo mío. Me examinó y me dijo: 'Ha sido un ataque el corazón, y ya sabes lo que eso quiere decir. Prepárate para el viaje, porque el próximo puede ser el último'. Era un buen amigo y un buen médico, y yo creí el diagnóstico y aprecié su franqueza. Pero, si él era médico, yo soy poeta; y en ese mismo momento, bajo la impresión del infarto y con los sentimientos que había despertado en mi interior, tomé la pluma y escribí ese poema de un tirón. Por eso te ha gustado a ti, aunque no sabías su origen». He aquí el poema traducido.

Ha llegado de Dios el mensajero
con un mensaje urgente para mí:
«Recoge ya tu tienda, caminante,
y deja las praderas tras de ti».

Bienvenido seáis, ángel divino,
y bienvenido tu mandato azul;
ya se acabó mi caminar incierto,
y me dirijo alegre hacia tu luz.

No tengo testamento que dictar
ni un último deseo al que agarrarme;
no he de expresar consejos moribundos,
ni de ocasión perdida lamentarme.

Nada hay oculto en mi existencia entera,
nunca doblé en mis labios la verdad;
viví en espera tuya cada instante.
¡Llévame ya contigo a descansar!

Por vez primera

Aunque, desgraciadamente, la traducción no puede reflejar toda su belleza, he aquí otro poema, escrito también bajo los efectos del infarto, de Kársandas Mánek:

> Mi vida vi al fin por vez primera
> cuando llamó la muerte mensajera
> a mi portal.

> Lo que era laberinto de dolores
> se convirtió en tesoro de esplendores
> por vez primera.

> Los caminos torcidos de la vida
> se enderezaron hacia la subida
> por vez primera.

> Los muros de prisión que me encerraban
> brillaron con las luces que ocultaban
> por vez primera.

> Vi mi camino y acepté su reto
> cuando la muerte reveló el secreto
> por vez primera.

Es un poco tarde para entender la vida y averiguar quiénes somos de verdad; pero más vale tarde que nunca. Si podemos anticipar en nuestra situación presente algún destello de esa luz póstuma, podremos también ganar equilibrio y valor para proseguir con la tarea mientras sea inevitable hacerlo. La sana conciencia de que «esto no va a durar siempre» confiere el debido sentido de la proporción a todo cuanto hacemos y sentimos, sea mucho o poco, agradable o desagradable. El cuadro de la vida queda medido y ajustado en el marco de la muerte, la cual puede ayudarnos a sacar el mayor partido de cada ocasión, en lugar de paralizarnos de miedo. El papel de la muerte es dar perspectiva a la vida.

Una novela de intriga cobra sentido, con explosivo deleite, en la última página, no antes. La complicada trama, los elaborados personajes, el dudoso culpable, las hipótesis descartadas, los indicios engañosos, el lío imposible...: todo ello resulta claro y evidente cuando, tras la larga lectura, volvemos la última página y nos encontramos con la solución final de la tensa intriga. ¡Era tan evidente...! Si ya lo habíamos sospechado hacía tiempo... ¿Quién, si no, podría haber sido? Ahora está claro por qué dijo aquello y qué intenciones tenía al decirlo... Y ahora cobra relieve aquel pequeño detalle que parecía sin importancia, aunque ya sospechaba yo que, si lo mencionaban explícitamente, por algo sería... Ahora se ve la importancia que un pequeño incidente puede tener para desentrañar la trama. Todo resulta ahora transparente, y la novela queda en la memoria como una obra maestra de intriga.

Algo así ocurre con la vida. A fin de cuentas, las novelas de intriga tienen éxito porque la vida misma es una auténtica intriga desde el principio hasta el fin. En la última página se hacen súbitamente claros determinados sucesos del pasado que parecían no tener sentido y estar aislados, mientras que ahora se trenzan en armonía inteligible y artística como un todo completo. Todo suceso aislado es esencialmente ininteligible, y la vida ha estado dividida en parcelas estancas que, con la preocupación del momento, ocultaban el hilo conductor del conjunto. Un poema sin acabar, un edificio a medias, un discurso truncado, un cuadro en bosquejo... Nos vemos privados del total, y no nos dicen nada los rasgos sueltos. Que venga el último toque, la última palabra, la última pincelada..., y el cuadro emergerá con plenitud de sentido y de belleza.

Una pintora aficionada quiso en cierta ocasión hacerme un retrato. Me sentí halagado y me sometí a la tortura imprescindible de posar horas seguidas sin moverme. Humilde sacrificio en aras del arte. Después de la primera sesión, cuando mis entumecidos miembros habían llegado al límite del aguante, y ella parecía haber embadurnado suficientemente el lienzo, me levanté y me acerqué amistosamente al caballete para inspeccionar el primer boceto y alabarlo fuera como fuera. Pero ella me lo impidió cubriendo el lienzo con un trapo; y, con una sonrisa que no hacía más que subrayar la seriedad de la prohibición, me dijo: «Verás el retrato cuando esté acabado. Si lo ves a medio hacer, no te va a gustar». La obedecí, desde luego, pero al mismo tiempo me puse a pensar. Si veo mi retrato a medio hacer, no me va a gustar... Unas pinceladas inciertas, manchas aisladas de color, expresión sin vida. Apenas puede decirse que sea un rostro humano, y mucho menos el mío. A lo más, una caricatura, una proyección en color, una profecía pintada; pero, en sí mismo, nada digno de mirarse. Ten paciencia y espera. A su tiempo te enseñarán la obra acabada, y entonces reconocerás tu rostro en el lienzo. No mires el retrato hasta que esté acabado.

Entendí las órdenes de la artista y las obedecí. Entre tanto, me había asaltado otro pensamiento: no critiques la vida mientras no esté acabada. Es posible que no te guste, que no le encuentres sentido a unos trazos aislados y unos colores caprichosos. ¿Es esto un rostro? No lo parece. Ganas de estropear un lienzo y perder y hacer perder tiempo... Muchos son los que se quejan de que la vida no tiene sentido. Espera un poco; el retrato está sin acabar; aún quedan varias sesiones; ten paciencia; esas líneas y colores tienen aún que adquirir cuerpo y firmeza; aún ha de surgir el rostro, han de enfocarse los ojos y ha de encenderse la sonrisa para que toda la expresión se ilumine y se vea que ese rostro es el tuyo, con toda su nobleza y su personalidad.

Espera a que esté concluido el retrato, y entonces podrás apreciar el trabajo de la artista y darle las gracias. El resultado acabado justificará las impaciencias de la espera.

Ésa es la lección que nos brindan el poeta y la pintora. Entendemos la vida cuando aceptamos la muerte. No se trata precisamente del capricho medieval de tener una calavera a mano sobre la mesa de trabajo para recordar la transitoriedad de los placeres terrenos, moda malsana que puede degenerar en un puro aguafiestas de la vida. De lo que se trata es de ganar perspectiva e integrar la muerte en nuestro pensar, domando sus miedos y suavizando su impacto.

Nuestro modo de hablar pone al descubierto nuestra resistencia a pensar en la muerte. Hablamos de lo que sucederá «cuando él o ella ya no estén», cuando «nos dejen», cuando «suceda algo»…; y algo sucede siempre, claro está; pero se trata de algo especial que no queremos nombrar, por miedo a que suceda. Eliminamos de nuestro vocabulario palabras que hablan de muerte para eliminar de nuestro pensamiento conceptos que la recuerden. No es de buena educación llamar a las cosas por su nombre. Hay palabras tabú que el buen gusto y la etiqueta obligan a reemplazar por eufemismos. El miedo a la muerte engendra el miedo a pronunciar palabras relacionadas con ella. Este aislamiento verbal y mental de la realidad que nos rodea no hace más que dañarnos e impedir nuestro desarrollo pleno.

La analogía del retrato puede haber dado una falsa impresión que quiero corregir. No es que tengamos que esperar al último día de nuestra vida para entender ésta en su totalidad. En un sentido más profundo, y aunque parezca paradójico, nuestra vida siempre está incompleta, aun en el último día, y siempre está completa. De hecho, debo confesar que, cuando mi retrato quedó acabado y se me permitió mirarlo, no me gustó. (Dicen que a nadie le gusta su retrato; lo cual puede significar que, secretamente, nos creemos más guapos, atractivos o interesantes de lo que en realidad somos). Cuando me encontré frente a la «obra maestra» bajo la expectante sonrisa de la pintora, que esperaba sin duda mi reacción laudatoria, me resultó difícil esbozar una sonrisa y balbucir un elogio. Mi primer instinto al ver el cuadro habría sido exclamar: «¿Ese soy yo?». Pero enseguida caí en la cuenta de que tal reacción podría resultar ofensiva, por lo que contuve a tiempo el comentario y me quedé contemplando el cuadro en silencio, mientras pensaba en algo mejor que decir para salir del apuro. De lo que se trata es de traer al momento presente la visión y la sabiduría del último momento, de quitarle el aguijón al sufrimiento cayendo en la cuenta de que no ha de durar para siempre, y de calmar los excesos de entusiasmo recordando que la pleamar habrá de suceder inevitablemente a la bajamar. La muerte nos revela el pasado y nos ilumina el futuro; y ésa es la mejor ayuda para vivir el presente. En lugar de marginar el pensamiento de la muerte como algo desagradable e indelicado, haríamos bien en invitarlo a nuestra consideración y traerlo a la memoria como elemento vivo del momento presente. El miedo a la muerte nos priva de su compañía durante la vida, y sólo nosotros salimos perdiendo con ello.

Un joven muchacho de una familia brahmán en la ciudad de Tiruvannamalai, en el sur de la India, tuvo una experiencia poco usual que transformó su vida y que habría de servirle más adelante para transformar las vidas de muchos. Estaba un día solo en casa de su tío cuando sintió un súbito miedo a la muerte. En lugar de resistirse al miedo, le dejó actuar. Se tumbó en el suelo como si ya estuviera muerto, se quedó inmóvil, cerró los labios y contuvo la respiración. Un pensamiento pasó entonces como un rayo por su mente, diciéndole que, aunque su cuerpo estaba muerto, había algo en él que había sobrevivido a la muerte corporal. Con esa experiencia desapareció para siempre su miedo a morir. Ésa fue su única educación. Se fue a vivir a un templo, luego a una cueva y, finalmente, al pie de una montaña, donde permaneció de por vida, hablando poco y escribiendo menos, pero sirviendo de verdadera inspiración para muchos buscadores sinceros de la verdad que acudían de todas las partes del mundo a contagiarse de la paz que, según decían, irradiaba su presencia. Su sonrisa angelical, que algunas fotografías nos han preservado, es testimonio elocuente de la paz de espíritu que había logrado y que propagó a su alrededor con el mensaje ferviente y cariñoso del amor a la vida. La muerte había sido su maestra.

Les habla el capitán

Era el año de los juegos olímpicos en Munich. Un ataque terrorista contra la delegación israelita había manchado de sangre el terreno sagrado del encuentro internacional, y las banderas de todos los países habían ondeado a media asta para expresar el dolor atónito por unas vidas jóvenes segadas ante un mundo que, en un instante, había pasado de la euforia y los aplausos al llanto y la rabia contenida. El equipo de hockey de la India había tomado parte en los juegos y volvía ahora en un «jumbo» de Air India con escala en Roma. Yo había tomado ese mismo avión en Roma para regresar a la India después de una visita a Europa. El enorme avión se había desplazado pesadamente hasta la cabecera de la pista, había girado sobre sí mismo hasta enfilar la inmensa cinta de asfalto, y sus cuatro motores rugían como piafantes caballos de una cuadriga, dispuestos a lanzarse al galope por los cielos abiertos. Dentro del avión, los pasajeros nos habíamos acomodado en nuestros asientos, habíamos ajustado los cinturones de seguridad, nos habíamos asegurado de que el respaldo del asiento estaba en posición vertical, y nos preparábamos para la carrera acelerada del despegue. Estábamos aguardando el último aviso de la azafata cuando, de pronto, una voz muy distinta de la esperada brotó de los altavoces de cabina. Era una voz fría, masculina, oficial, que dijo con claridad y firmeza: «Les habla el capitán. Les ruego a todos sin excepción abandonen el avión inmediatamente. Repito. Les ruego a todos sin excepción abandonen el avión inmediatamente. Hay amenaza de bomba». No cundió el pánico, pero en cuestión de segundos se vació el enorme «jumbo», que quedó abandonado en el extremo de la pista, solemne y altanero como un pájaro de mal agüero, mientras nosotros nos dirigíamos a toda prisa a la seguridad del edificio del aeropuerto. Quizá desde allí asistiéramos a una sesión de fuegos artificiales...

Poco a poco, entre rumores y conjeturas, fuimos enterándonos de lo ocurrido. Se había producido una llamada telefónica anónima en la que se advertía que había sido colocada una bomba en el avión. En vista de la reciente tragedia de Munich, y dado que un equipo olímpico viajaba con nosotros, la amenaza resultaba incómodamente plausible, y la gente se dedicó enseguida a tejer teorías para explicar la molesta presencia del indeseado artefacto en el vientre inmenso del gigantesco avión. Yo podría haber disfrutado con las múltiples e ingeniosas hipótesis, como si fueran conjeturas para resolver la trama de una buena novela policíaca; pero el insistente recuerdo de que no se trataba de una novela que estuviera leyendo, sino de un avión en el que yo iba a volar ocho horas seguidas a una altura de varios miles de metros, entibiaba algo mi interés y no me permitía contemplar la situación con demasiado entusiasmo.

Cinco horas nos tuvieron en la sala de espera, interrumpidas de vez en cuando para tomar unos sandwiches repartidos con muchas sonrisas y ninguna información sobre lo que en realidad estaba ocurriendo y sobre el futuro inmediato que aguardaba a nuestros planes viajeros. Perros-policía, expertos en explosivos, *carabinieri* de uniforme, miembros de la tripulación... iban y venían sin que acertáramos a leer nada en sus rostros. Por fin volvió a anunciarse la salida de nuestro vuelo, subimos apresuradamente a los autobuses, identificamos por segunda vez nuestros equipajes y ascendimos de nuevo por la empinada escalerilla hasta la puerta del paciente avión.

Daba gusto volver a acomodarse en el mismo asiento tras la breve ausencia; y, como el mío estaba junto al pasillo, me puse a charlar como distraídamente con uno de los oficiales. Tras un par de escaramuzas, le pregunté a quemarropa: «¿Han encontrado la bomba?». «No», me respondió con voz de desaliento. «Hemos registrado todos los sitios posibles, y los perros han olfateado todos los rincones, pero no ha aparecido nada. Es como el juego de la búsqueda del tesoro, sólo que no hemos encontrado el tesoro». Logró sonreírse con su ocurrencia, y añadió con un toque de esperanza: «La mayor parte de estas llamadas anónimas son amenazas sin fundamento, como usted sabe bien. Claro que nosotros tenemos que actuar en cualquier caso, y así lo hemos hecho; pero la mayoría de las veces no se encuentra nada, y seguimos adelante. Pronto sabremos si había algo o no», añadió con otra intentona de humorista. A mí me encanta el humor de cualquier clase que sea, y procuro no dejar pasar por alto ningún momento gracioso; pero en este caso me pareció un poco fuera de lugar, y sólo me sirvió para hacer mi siguiente pregunta. En un alarde de humor negro por mi parte, le pregunté con fingida despreocupación, como si me limitara a recoger datos para un reportaje: «¿Podría usted explicarme cómo funcionan esas bombas...?». Él ya estaba demasiado implicado en el juego, y no le quedó más remedio que proporcionar la información, aunque se veía claramente que no tenía muchas ganas de hacerlo. No formaba parte del código de conducta de la tripulación a bordo. «Esas bombas son fundamentalmente de dos clases», empezó a decir, como si estuviera dando una conferencia a aspirantes a terroristas; «una es la bomba de tiempo, y otra la de altitud. La de tiempo lleva un temporizador, en el que se fija la hora como en un despertador y, cuando llegan las manecillas llegan al punto prefijado, se produce el contacto, y el explosivo se encarga del resto. En cuanto a las de altitud, las dispara un altímetro que va midiendo la altura que alcanza el aparato en su vuelo; cuando éste llega a la altura preestablecida, se produce la explosión correspondiente. En la práctica, y para los efectos, ambas son lo mismo», concluyó académicamente el profesor. Entendí muy bien lo que decía y le di las gracias por la oportuna información. Ahora ya sabía de fuente informada y competente las dos maneras en que yo podía encontrarme con la sorpresa aérea. Conjeturé que, dado el retraso que llevaba ya el vuelo, una bomba con temporizador ya habría explotado, y aposté mentalmente por la del altímetro. Tendría que ir fijándome a ver a qué altura volábamos...

Todo este diálogo había sido un puro ejercicio intelectual. No había habido ansiedad, ni nervios, ni urgencia alguna de redactar testamento mientras aún estábamos a tiempo. Cada cual se guardaba sus miedos para sus adentros, y la educación y los buenos modales presidieron el encuentro. Pero al fin el avión arrancó. El quejido metálico de los motores, las balizas de la pista deslizándose velozmente al otro lado de las ventanillas, el salto inicial, el ángulo elevado, la curva calculada, y las luces de Roma alejándose y emitiendo cada vez más débiles destellos de adiós. Durante un largo rato, me quedé a solas con mis pensamientos y mis sentimientos fijos en el escondido y fatídico altímetro. Sentí un tirón en el corazón. Por primera vez en mi vida, veía la muerte como una posibilidad concreta en cuestión de minutos. El avión seguía ganando altura. El eficiente altímetro seguiría midiendo los metros con fría exactitud. Ya habíamos alcanzado bastante altura. La explosión podría producirse en cualquier momento. Un estruendo ensordecedor, un terrible boquete en el vientre metálico del aparato, la confusión del momento, la caída en picado... y el encuentro sin previo aviso con el suelo de Italia: todo eso era para mí en aquel momento, no la remota posibilidad estadística de un caso entre mil, sino un hecho concreto que muy bien podía ser real para mí en cuestión de segundos. No podía hacer otra cosa que pasar revista a mis sentimientos. Y eso fue lo que hice. Y he aquí lo que descubrí, dicho con la misma sinceridad con que lo viví de cara a la muerte en el aire:

No tenía miedo; estaba enfadado. Sé muy bien que el enfado puede ser una tapadera del miedo, y es posible que así me ocurriera a mí en aquel momento; pero mi claro e inequívoco sentir era de rabia, no de miedo. No tenía miedo al dolor físico, a la agonía del choque; tampoco tenía miedo —y no sé si es éste un síntoma bueno o malo— a encontrarme con Dios y escuchar el decisivo dictamen sobre mi inminente destino. No temblaba ni sudaba mi me faltaba el aliento, y en cierto sentido me sorprendió no verme atormentado por pensamientos que yo había creído que me asaltarían en el último momento. Nada de eso sucedió. Pero estaba furioso, decidida y revolucionariamente furioso, y todo mi ser se rebelaba en indignada protesta orgánica. ¿Por qué tengo que morir yo ahora? Estoy disfrutando de la vida; lo paso bien e intento que los demás lo pasen tan bien como yo; trabajo lo que puedo, no soy viejo, y aún tengo una serie de libros que quiero escribir (es curioso que mi resistencia a morir se debía en gran parte al hecho de no haber puesto todavía por escrito todo lo que yo querría decir); tengo a mi anciana madre, que aún necesita mis cuidados y mis visitas y que tiene pleno derecho a librarse del dolor de ver morir a su hijo antes que ella; estoy sano y fuerte, y sería totalmente injusto que la absurda acción de un terrorista, a quien ni siquiera conozco, me segara la vida en este momento sin culpa alguna por mi parte. Sencillamente, no había derecho, y cada célula de mi cuerpo era en aquel momento un manifiesto de protesta contra la sentencia de muerte a punto de ejecutarse.

No vi pasar toda mi vida delante de mí en un relámpago, como a veces había leído que solía ocurrir en estos casos. Tampoco sentí contrición alguna por mis muchos pecados; ni siquiera (¡oh vergüenza!) pensé en mis amigos íntimos para consagrarles mi último recuerdo mental, como siempre me había prometido a mí mismo que haría para satisfacer mi afecto y probar mi fidelidad. Menos aún pensé en la recomendación hindú de acariciar pensamientos agradables en el último instante, según la creencia de que el último pensamiento que tengamos en esta vida determina el papel que habremos de jugar en la siguiente. Nada de todo eso se me ocurrió. Mi último pensamiento fue una firme y severa nota oficial de protesta por retirarme la licencia sin previo aviso, de repente y contra mi voluntad. Si mi suerte en el otro mundo iba a quedar determinada por mi último pensamiento en éste, seguro que estaba condenado a ser miembro permanente de la oposición. El enfado fue cediendo a medida que el avión ganaba altura y no se producía ninguna explosión. Quizá el altímetro se había estropeado...

La tripulación del avión parecía tener experiencia de tales situaciones, porque enseguida hicieron algo muy inteligente. Decidieron proyectar la película que, según el programa de vuelo, deberían haber dado más adelante, para distraer sanamente nuestra atención. Era una buena película: «María, reina de Escocia». Al poco de empezar la proyección, la película captó mi interés por completo, y sólo de vez en cuando me detenía por un instante a pensar, con realismo y buen humor, cuán frágil había sido mi preparación para la muerte, a pesar de que, como se me había inculcado toda la vida, de ese momento podía depender toda la eternidad; unas cuantas escenas de una película interesante me habían hecho olvidar la intensa experiencia de haberme visto frente a la muerte a muchos metros sobre el suelo italiano. Yo estaba seguro ya para todo el viaje. María, reina de Escocia, no tuvo tanta suerte: antes de que aterrizáramos, acabó en el cadalso.

Oración fúnebre

Un día me pidieron que fuera a una casa en la que alguien había fallecido. No era un encargo agradable, que digamos. Ni siquiera conocía yo al difunto, y nunca había estado en aquella casa; pero un amigo mío, que lo era también de aquella familia y estaba preocupado por la depresión que parecía haberse apoderado de ellos por el triste suceso, me pidió que los visitara en su dolor y tratara de consolar su tristeza y reanimarlos. Cuando me presté a ir, lo único que me prometí a mí mismo fue que no recurriría a ninguna de las consabidas expresiones de pésame en el catálogo de frases hechas para tales ocasiones. No aparentaría oficialidad de funcionario, ni fingiría sentimientos, ni emplearía tópicos. Era un propósito difícil de cumplir, pero yo estaba decidido a cumplirlo. Es muy fácil repetir la frase estereotipada con el tono adecuado y una ligera inclinación de cabeza mirando al suelo, mientras se espera el susurro de la respuesta sacada del mismo catálogo de frases hechas para la ocasión. Pero yo no iba a hacer eso en aquella casa. Borré de mi mente todas las expresiones formularias y aclaré mi mente para reaccionar con autenticidad a la situación tal como se presentara.

Me introdujeron en un gran salón, en el que esperaban en silencio unas treinta personas. Pasé por en medio de todos rehuyendo presentaciones. No conocía a nadie, y unas cuantas presentaciones de etiqueta no iban a servir de nada. La muerte, que se había llevado a uno de ellos y que algún día habría de llevársenos a todos uno a uno, era vínculo suficiente para sentirnos todos unidos en reunión de familia. Me senté y paseé la mirada por la audiencia. En la India, el color de luto es el blanco, y todos los hombres y mujeres en aquella sala iban vestidos de un blanco casi estridentemente impecable. Yo también iba de blanco. Conocía la costumbre y la había seguido. Tributo ceremonial al momento solemne. Miré, uno a uno, los rostros caídos, vacíos de expresión, marcados por lágrimas recientes. Dejé que el silencio reinara largamente en toda la casa. Pareció tan apropiado que por un rato pensé que no iba a hablar, y de hecho nadie me estaba pidiendo que lo hiciera. Nuestras mutuas presencias se hablaban sin palabras, y sabíamos que con estar sentados en compañía estábamos haciendo todo lo que podíamos hacer para honrar el misterio de la muerte que nos había reunido en aquel lugar de su última cita. El profundo silencio se prolongó, sin ningún signo de impaciencia por parte de nadie. Estábamos todos tranquilos en medio del dolor compartido.

Y luego, así como me había sentido interiormente inclinado a guardar silencio, me sentí de pronto incitado a hablar. Al fin y al cabo, para eso me habían llamado y para eso estaba yo allí. Afortunadamente, para entonces ya estaba yo suficientemente integrado en la situación y despojado de toda idea preconcebida; y, en lugar de ponerme a filosofar sobre la muerte, miré al sillón vacío que, sin duda, era el que había utilizado el difunto y que ahora simbolizaba y representaba su ausente presencia con el vacío de su espacio en la habitación repleta, y me puse a reflexionar sobre cómo me siento cuando, poniendo fin a una dilatada convivencia o a un prolongado trato de amistad, muere una persona con la que he vivido y a la que he querido. Antes de hacerme a mí mismo ninguna pregunta, noto algo en mi interior que me dice de antemano lo que voy a encontrar. Si me siento mal por dentro, ya sé la razón. Hay cosas que querría yo haber hecho por esa persona, cosas que querría haberle dicho, gestos que querría haber tenido con ella... y que nunca se hicieron realidad. Habría querido tenderle la mano, hacerle saber de manera explícita mi respeto, mi aprecio, mi afecto...; pero pasaron los días, se perdieron las ocasiones, aumentó la distancia, se enfrió el clima de intimidad... y se hicieron cada vez más difíciles de pronunciar las palabras, que nunca llegaron a decirse; y ahora esa persona está muerta, y ya es demasiado tarde para hacer lo que siempre quise hacer. Ahora sus oídos ya no pueden oír las cosas que siempre quise decirle y que, si se las hubiera dicho, le habría hecho feliz a ella y me traerían ahora la paz a mí.

La muerte me enseña a no ser parco en mostrar el afecto, a no demorar la expresión de mi aprecio, a no diferir el gesto amable, a no posponer la palabra acariciadora... ¡Que no llegue su último día, y la palabra esté todavía por decir, y el gesto por hacer...! La muerte es el gran juez, no para el que muere, sino para el que se queda. Ya no tendré más oportunidades de portarme bien con él, y he de juzgar mi relación con él tan sólo por mi conducta pasada. ¿Fue la que debió haber sido? Si hubo fricciones, ¿hubo también mutuo entendimiento? Si hubo distanciamientos, ¿hubo también reconciliaciones rápidas? Y, sobre todo, si hubo silencios, ¿hubo también comunicación, contacto, expresión...? Con frecuencia, damos por supuestos sentimientos y actitudes, suponemos que la otra persona sabe perfectamente lo que sentimos hacia ella, y un tenue velo de timidez y pereza se interpone entre ambos e impide la expresión explícita de afecto que tan valiosa habría sido en un momento ya definitivamente irrecuperable.

Ahora esa persona ya no está. ¿Sabía mis verdaderos sentimientos hacia ella? ¿Se lo dije yo con claridad alguna vez? ¿Lo adivinó? ¿Lo dudó?... Confío en que lo supiera; pero el hecho es que yo nunca se lo dije directamente. En realidad, no sé qué pensaba ella de mí y de mis sentimientos hacia ella. Y ya nunca lo sabré. Se ha marchado calladamente, y yo me quedo con la implacable duda de no saber si ella sabía de veras lo mucho que ella representaba para mi. Sería una pena que, habiéndola querido yo tanto, ella nunca lo supiera.

Se dice de Thomas Carlyle que ocultaba un fondo amante y cariñoso bajo una apariencia áspera y brusca. Sentía por su mujer un amor sincero y profundo, pero no lo manifestaba, no se lo expresaba con palabras tiernas y conducta amorosa. Daba por supuesto que ella lo sabía, y no se tomaba la molestia de hablar de ello ni de comunicar sus sentimientos abiertamente. Y así pasaron largos años de matrimonio. Su mujer falleció antes que él, y de pronto todo el afecto reprimido que tenía en su corazón subió violentamente a la superficie y exigió una respuesta, una certeza de que su mujer había sabido que él la amaba con toda su alma. Pero ¿cómo podía ella contestar ahora? Él sabía que su mujer llevaba un diario hacía muchos años, y lo buscó esperando encontrar en sus páginas la prueba que tardíamente necesitaba. Por fin encontró el diario y hojeó sus páginas ansiosamente. Por ningún lado aparecía mención alguna de su amor por ella, en ninguna página figuraba la menor alusión que indicara que ella sabía que él la amaba y que ella reconocía y apreciaba su amor. Al contrario, página tras página descubrió la desgarradora evidencia de cómo su mujer deploraba su mal genio y sufría con los accesos de furia que él padecía con triste frecuencia. Leyó desesperadamente el lúgubre diario, sin encontrar ni una sola página en que de alguna manera se reflejara el amor que él le había profesado. Porque lo cierto es que la había querido de veras, pero nunca se lo había dicho. El hombre rompió entonces a llorar y exclamó desesperada e inútilmente: «¡Si mi mujer pudiera volver a mí, aunque sólo fuera por un momento, para poder decirle lo mucho que la he querido siempre, lo que ha significado para mí, hasta qué punto era ella el centro de mi vida y la alegría de mi corazón...!; ¡ojalá pudiera regresar por unos breves instantes para asegurarme de que al fin sabe cuánto la amo! Luego, una vez que ella supiera lo que más deseo yo en el mundo que sepa, podría irse de nuevo, y yo quedaría pacificado y tranquilo... Pero ya es demasiado tarde, y sé que ella no ha de volver, y que yo arrastraré hasta el día de mi muerte el dolor de no haberle dicho en vida cuánto la amé».

Estas y otras cosa semejantes iba yo desgranando en aquella reunión de familia, hablando despacio, con voz medida, con la mirada baja, incluso a veces con los ojos cerrados, como meditando conmigo mismo, sin tratar en modo alguno de hacer un discurso o de pronunciar un sermón. Hice una pausa, dudando de si quería yo mismo proseguir o dejar de hablar. Levanté los ojos, miré a mi alrededor y fui anotando en mi mente, uno a uno, los rostros que me rodeaban. Me fijé en una mujer de mediana edad y noble porte. Estaba inmóvil en su silla, y las lágrimas le corrían calladamente por las mejillas. Llevaba puesto un «sari» totalmente blanco, y no había marca alguna en su frente: el pequeño círculo rojo que adorna la frente de toda mujer india casada había desaparecido. Aquello significaba que era viuda; quizá la viuda del difunto... En cualquier caso, su sereno dolor reflejaba mejor que mis palabras los pensamientos que yo había querido expresar sobre la muerte como llamamiento al amor.

Las recriminaciones tardías no van a ninguna parte. El miedo a la muerte no nos sirve de nada. Lo que sí puede ayudarnos es la certeza de nuestra muerte y el recuerdo repetido que nos traen las muertes de cuantos nos rodean, para meditar y considerar cuál ha de ser nuestra relación con los demás. La gran satisfacción, en medio de esta precaria existencia, es hacer el bien a los demás y saber que han recibido nuestro don; servirlos y saber que nuestro servicio les llega; decir de corazón «te amo» y escuchar el eco en otro corazón: «Sé que me amas». Todo eso sí que podemos hacerlo para iluminar nuestro camino y redimir nuestra existencia pasajera. Lo malo es que los años pasan, las ocasiones se escapan, y una cierta pereza afectiva y una vergüenza sutil se apoderan de nosotros y nos hacen ocultar nuestros sentimientos y retrasar la revelación.

«Más adelante... En el momento oportuno... Cuando llegue la ocasión..»... Y la ocasión nunca llega. La vida es corta, tanto para nosotros como para los demás, y nos puede llegar la noticia de la muerte de una persona antes de que hayamos puesto en práctica el propósito firme de decirle algún día todas las cosas buenas que de veras queríamos decirle. Ahora ya no lo sabrá nunca, y nosotros nos quedamos con el vivo remordimiento de no haber actuado antes y de haber despertado cuando ya era demasiado tarde. Cada muerte nos trae este mensaje. Alguien ha muerto, pero otros muchos quedan. Que no vuelva a sucedernos con ellos lo mismo. Ésta es la actitud benéfica y realista que cambia el dolor en esperanza, la duda en entrega, y la timidez en amor proclamado y puesto en práctica.

Aún habremos de asistir a muchas muertes antes de la nuestra. Bienvenidos, mensajeros del recuerdo esencial. Miro ahora con cariño y ternura a cada persona a la que quiero, con la que trabajo y por la que rezo, y me digo a mí mismo: «Antes de que se vaya, quiero que sepa todo lo bueno que pienso de ella y cuán profundamente la amo; y, antes de irme yo mismo, quiero que todos sepan lo que han supuesto para mí sus vidas generosas y fieles, que tanto aprecio y atesoro». Si repaso esta lección de vida en cada fallecimiento, ésa será la mejor preparación para el día en que me llegue a mí la muerte y ya no pueda hacer nada por los demás, ni siquiera decírselo. Cada noticia de un fallecimiento resulta así una lección para vivir mejor.

No dije más en el salón fúnebre. Aún permanecimos todos juntos un rato en silencio. Dejé que mi propio interior me dictara cuándo había llegado el momento oportuno para marcharme. Entonces me levanté, anduve despacio entre todos con las manos juntas, en saludo indio, y salí. Mi último pensamiento fue confiar en que no habría más lágrimas.

El poder de quien no tiene miedo

En la India existe una palabra *(a-bhay)* para designar la virtud de la falta de miedo, lo cual subraya su importancia como base del carácter moral de la persona. Sólo una persona sin miedo puede permanecer en mitad del mundo y seguir sus propios criterios frente a la constante presión para hacer todo lo contrario. Hace falta valor para decir la verdad cuando una mentira podría facilitar las cosas... y ayudar a llenarse los bolsillos. Hace falta valor para ser honrado cuando la sociedad y las circunstancias incitan insistentemente a no serlo. Hace falta valor para rechazar invitaciones y hacer frente a las críticas. Sólo una persona sin miedo puede encontrar la firmeza necesaria para ser fiel a sí misma sin importarle lo que otros piensen o digan de ella. Sólo una persona sin miedo puede ser plenamente lo que ella sabe que puede y quiere ser.

Ésta es también en la India la bendición más preciada que un hombre o una mujer de Dios pueden dar a un discípulo. Se expresa alzando la mano derecha extendida hacia arriba, con los dedos juntos y con la palma vuelta hacia la persona a la que se bendice. El gesto, que pretende significar «el don del no-miedo», es deseo, plegaria y gracia para infundir en el alma del discípulo la paz y el coraje que le permitirán enfrentarse al mundo con alegría y confianza. La palma de la mano queda abierta, en señal de sencillez y libertad; los dedos rectos significan el desprendimiento y señalan al cielo, de donde viene la fuerza que vence al miedo.

Tanto el gesto como la expresión sánscrita que lo acompaña *(abhay-dan)* forman parte de la tradición popular, que todavía hoy día se observa. He visto a un muchacho presentarse temblando ante su padre, de quien esperaba un castigo por una fechoría que había cometido y que su padre aún desconocía; y antes de que el muchacho hablara, he visto cómo el padre, que sospechaba la situación y conocía el modo de manejarla, levantaba lentamente su mano derecha con los dedos hacia arriba y pronunciaba en voz baja la tranquilizadora bendición. «No tienes nada que temer por mi parte. Te concedo el don del no temer en tu trato conmigo. Dime lo que tengas que decirme y confiesa lo que tengas que confesar, y ya trataremos el asunto de persona a persona, sin ningún tipo de amenazas, miedos o castigos. No temas».

Hermosa imagen y aleccionadora práctica de la más noble de las virtudes. La bendición tiene un doble filo para asegurar el reino de la paz del alma en todos y de parte de todos: «Yo no quiero tener miedo a nadie, ni quiero que nadie tenga miedo de mí. Concedo por mi parte el don del no-temor a todo aquel que pudiera tener alguna razón para temerme, y reclamo para mí el mismo don de parte de cualquier persona o situación que pudiera atemorizarme. Mi mano derecha se alza en saludo abierto al mundo entero para dar y recibir las ondas amigas de confianza y firmeza que me llegan de todos los seres humanos y de todos los rincones del universo, en ritual cósmico de paz universal».

Mahatma Gandhi conocía bien estas bellas tradiciones y las usaba para preparar al pueblo para las responsabilidades de la independencia. No era tarea pequeña adiestrar a una nación de cientos de millones de habitantes, que había vivido varios siglos bajo dominio extranjero, para recibir el honor y la carga de gobernarse a sí misma con la antigua tradición y la nueva eficiencia. Y la primera cualidad que el Padre de la Patria quiso para su pueblo fue la virtud del no temer. Ésa era la clave para obtener la independencia y para gobernar el país una vez conseguida aquélla. Toda su campaña, que él denominó de «desobediencia civil», se basaba en la lucha no violenta, y su única arma en esa singular batalla era la ausencia de miedo. «Haced con nosotros lo que queráis; lo sufriremos y volveremos a presentarnos ante vosotros, en mayor número aún, con nuestra insistencia pacífica y con nuestros derechos innegables. Podéis encarcelarnos, maltratarnos, matarnos...: no ofreceremos resistencia alguna, porque no tenemos ningún miedo a las consecuencias. No nos defenderemos, porque no tenemos nada que defender. No tenemos miedo a la muerte, y por eso no os tenemos miedo a vosotros». Si una nación entera adopta esta actitud, no hay nada que no pueda conseguir. El arma definitiva que está por detrás de todas las armas es el miedo; y donde no hay miedo al miedo, todas las armas pierden su eficacia.

Gandhi enseñó que la no-violencia no era arma de cobardes. El cobarde escapa al peligro o se pliega a exigencias injustas por miedo a las amenazas que pesan sobre él si no se somete. Eso no es no-violencia, sino cobardía. La persona no violenta ni escapa del peligro ni se somete a la exigencia injusta, sino que permanece firme en su terreno, dispuesta a sufrir todo cuanto pueda sobrevenirle en la defensa respetuosa y pacífica de sus derechos. Hace falta más valor para resistir sin defenderse que para devolver golpe por golpe. La ausencia de miedo es el fundamento del valor moral, y el valor moral es el que gana las verdaderas batallas de la historia y del espíritu.

En la lucha por la independencia de la India, aun la gente ordinaria entendía y llevaba a la práctica este principio del actuar sin miedo; y, tras los inevitables sufrimientos, al final conseguían siempre lo que pretendían, incluida la liberación definitiva del país. Un ejemplo ilustre al respecto lo constituye la protesta que, a nivel nacional, había organizado Gandhi contra las leyes que regulaban la producción de la sal. Estaba prohibido, debido al estricto monopolio del gobierno, que nadie obtuviera sal directamente del mar, cosa que resultaba relativamente fácil, dada la cantidad de kilómetros de costa de la India y su caluroso clima, que facilitaba la evaporación y la consiguiente liberación del valioso producto. Además de condimento indispensable en cualquier comida, la sal era esencial en la India para el cuerpo, dada la deshidratación a que puede dar lugar su mencionado clima tropical; pero la sal tenía, sobre todo, un tradicional valor simbólico: una persona quedaba ligada por un pacto de lealtad inquebrantable hacia otra «de cuya sal hubiera comido», en expresión profundamente oriental. La sal, pues, tanto en su aspecto práctico como en su aspecto simbólico, se convirtió por un tiempo en el centro de la lucha por la independencia; Gandhi exhortó al pueblo a producir sal directamente a partir del agua del mar, y el gobierno inglés insistió en encarcelar a quienes lo hicieran, empezando por el propio Gandhi, que fue el primero en predicar con el ejemplo.

En este contexto se sitúa la marcha pacífica a las salinas del gobierno en Dharásana, organizada por los seguidores de Gandhi cuando éste ya estaba en la cárcel. Grupos sucesivos de voluntarios marchaban disciplinadamente en manifestación hacia las puertas de la factoría, donde eran violentamente reprimidos por soldados bien entrenados en el uso de largas porras de bambú, rematadas por una pieza de hierro, que podían partir un cráneo de un solo golpe. Un corresponsal americano que fue testigo presencial de la escena describió, en un reportaje que se hizo famoso en todo el mundo, lo que vio con sus propios ojos: los manifestantes, vestidos de blanco, avanzaban de diez en fondo con paso firme, cantando himnos patrióticos y sonriendo frente al peligro; línea tras línea, iban llegando hasta donde les aguardaban los soldados, los cuales les golpeaban en la cabeza con las porras, siendo recogidos por grupos de enfermeras voluntarias y conducidos a las tiendas del hospital de campaña improvisado al efecto.

Al citado corresponsal le impresionó la imagen de un fornido voluntario *sikh* cuya evidente fuerza física contrastaba vivamente con la inocente indefensión con que avanzaba hacia los aguerridos soldados. Al llegar frente a éstos, un sargento inglés le asestó tal golpe en la cabeza que la víctima se desplomó inconsciente sobre el suelo, con el blanco turbante teñido de sangre. Las solícitas enfermeras lo retiraron inmediatamente y le curaron la herida. El robusto *sikh* recobró enseguida el conocimiento, hizo acopio de sus energías y se incorporó de nuevo a la primera fila. Avanzó hasta donde estaban los soldados y volvió a verse frente al mismo sargento, el cual, visiblemente sorprendido, levantó la porra con ambas manos y se dispuso a golpear a la víctima con redoblada fuerza. El voluntario avanzaba despacio, a una con sus compañeros, mientras todos los circunstantes contenían el aliento y contemplaban con horrorizada impotencia la brutal escena.

El sargento tensó todos sus músculos sin apartar la mirada de aquel hombre que no parecía dispuesto a detenerse por nada del mundo. Faltaban tan sólo unos pasos para que se produjera el encuentro cuando una luz pareció encenderse en la mente del sargento: el hombre que llevaba dentro reconoció, por encima de toda la reglamentación, automatismo y disciplina militar que había dominado su vida, el verdadero sentido de la situación: tenía frente a él a un hombre herido e indefenso que se le acercaba con paso vacilante pero imparable; vio su dolorida sonrisa y su firme determinación; recordó las ocasiones en que, golpeando a vulgares ladrones o a criminales abyectos, casi había disfrutado imponiendo la ley que él representaba frente a los enemigos de la sociedad... Pero aquel hombre que ahora se le acercaba era distinto: venía en son de paz y dispuesto, con un valor inaudito, a autoinmolarse por una noble causa. El soldado podía luchar cuerpo a cuerpo con cualquier hombre armado que le atacase en combate; pero ¿cómo podía herir a sangre fría a un hombre que no ofrecía resistencia alguna? ¿Cómo podía levantar su brazo armado contra un hombre que juntaba sus manos para saludarle sin rencor? ¿Cómo podía usar su arma contra quien no tenía ninguna?

El *sikh* se encontraba ya a su alcance. Pero entonces el sargento hizo algo absolutamente inesperado: bajó lentamente sus manos, que sujetaban la temible porra, colocó ésta bajo su brazo izquierdo, se llevó la mano derecha a la frente en saludo militar, chocó sus talones, dio media vuelta y se alejó. La victoria sobre el miedo había conquistado un corazón. No mucho más tarde, conquistaría toda una nación para la libertad.

Poderosa imagen de lo que la victoria sobre el miedo puede lograr en la vida de una persona y en la historia de un país. Nada se puede hacer contra ello. «Pégame, golpéame, hiéreme, mátame si quieres... ¿Qué más puedes hacer? Después de todo ello, verás que no has conseguido nada, que mi causa está más viva que nunca, que lo único que has logrado es demostrar tu impotencia, que la verdad y el coraje estaban de mi parte, que lo que creías tu poder es tu debilidad, y tu victoria es tu derrota. Si hieres a un voluntario, hay miles dispuestos a ocupar su lugar. Las oleadas seguirán una tras otra, hasta que tu brazo se canse y tu porra se rompa. Tendrás que retirarte derrotado por tu propia máquina de guerra. Si lo ves a tiempo, aún podrás retirarte antes de la matanza, y reconocerás en tu corazón que todo tu poderío es inútil ante el hombre que no tiene miedo en su alma...».

Esta actitud parece ser general en Oriente. Un tratado japonés de esgrima del siglo XVII, citado por D.T. Suzuki en *Zen and Japanese Culture,* cuenta la historia de un samurai que se presentó a un maestro de esgrima para aprender el arte. El maestro, tras ordenarle que le mostrara lo que sabía, quedó impresionado por su actuación. Le preguntó quién había sido su anterior maestro, para saber la clase de adiestramiento que había recibido. El samurai le respondió que no había asistido a ninguna escuela ni estudiado bajo ningún maestro, sino que había aprendido por su propia cuenta. Y el maestro repuso: «Yo conozco mi trabajo y puedo decir quién es un ignorante y quién es un maestro en mi arte. Tú no eres un esgrimista vulgar, y tu manejo de la espada es de lo mejor que he visto. Sin embargo, aseguras que no has estudiado con ningún maestro; y si tú lo dices, tiene que ser verdad, porque un samurai nunca miente. Pero piensa ahora y dime si hay algún secreto en tu vida, alguna experiencia o actitud que te haya hecho progresar de tal modo en un arte que a otros les lleva años aprender». El samurai reflexionó y respondió: «Hay una cosa en mi vida que marca todos mis actos y rige todos mis pensamientos. Cuando yo era niño, se me quedó grabada la idea de que un samurai no tiene que tenerle miedo a la muerte, y a lo largo de los años he asimilado esa idea hasta el punto de que ahora me siento completamente libre del miedo a la muerte. Quizá sea ésta la explicación que requieres». El maestro replicó: «Tú lo has dicho. El secreto final del arte de la esgrima es no tener miedo alguno a la muerte. Quien domina ese miedo, domina el arte. Tú ya estás libre del miedo a la muerte, y no tienes nada más que aprender».

El miedo a la muerte cohibe los reflejos, impide las reacciones, ciega la vista… En tales circunstancias, el combate está perdido antes de empezar. No hay enseñanza ni entrenamiento que sirvan de nada cuando las facultades de la mente y del cuerpo están condicionadas por el miedo instintivo a la muerte. En cambio, una vez que este miedo desaparece, la mente queda libre, y el cuerpo relajado; se anticipan los movimientos, se eluden las estocadas, y el ágil y confiado esgrimidor hace de su habilidad un arte que es más de la mente que del cuerpo.

En la tradición japonesa, las artes marciales son espejo y escuela de vida. Y esta suprema lección se aplica directamente a la vida, tanto y más aún que a la esgrima, al tiro con arco, a la lucha libre, al judo o al kárate. Destierra de tu corazón todos los miedos antes de entrar en la contienda. No tengas miedo a la muerte si quieres disfrutar de la vida. Da por supuesta la muerte, acéptala, dale la bienvenida…, y luego siéntete libre para sacarle el mayor partido posible a cada instante, que es precisamente más valioso porque puede ser el último. La vida sin miedo libera nuestras mejores facultades, la mirada limpia, la alegría inocente, el asombro espontáneo. El grado en que logremos liberarnos de nuestros miedos será la medida de nuestra entrega generosa y confiada a la vida. Y esa entrega determinará nuestra felicidad sobre la tierra, preludio a su vez de nuestro gozo eterno, sin miedos ya para siempre.

Mira a tus miedos

Jiddu Krishnamurti ha pensado profundamente sobre el miedo, y su pensamiento ilumina la actitud redentora. He aquí lo que dice:

«En este momento, sentado aquí, no tengo miedo; no tengo miedo al presente, no me sucede nada, nadie me amenaza ni está tratando de quitarme nada. Pero más allá del momento actual hay un nivel profundo en la mente que está pensando, consciente o inconscientemente, en lo que podría pasar en el futuro, o preocupándose porque algo de mi pasado pudiera afectarme. Así que tengo miedo al pasado y al futuro. He dividido el tiempo en pasado y futuro. Entra el pensamiento y dice: 'Ten cuidado, no vuelva a suceder', o 'Prepárate para el futuro. El futuro puede ser peligroso para ti. Ahora tienes algo, pero puedes perderlo: puedes morirte mañana; puede abandonarte tu mujer; puedes perder tu empleo; puede que nunca te hagas famoso; puedes quedarte solo... Lo que quieres es asegurar el mañana'... Por consiguiente, es el pensamiento el que es responsable del miedo, como puedes ver por ti mismo. Cuando te enfrentas a algo directamente, no tienes miedo; sólo lo tienes cuando aparece el pensamiento. Por consiguiente, nuestra pregunta ahora es: ¿puede la mente vivir completa y totalmente en el presente? Sólo una mente así puede estar libre del miedo» *(Freedom from the Known)*.

Claras palabras de inquietante verdad; invitación directa y urgente a alcanzar el más sencillo y elevado estado del alma: vivir el presente. El miedo es animal de sombras, criatura de memoria o proyección, imagen de pasado o de futuro... En cuanto se le coloca bajo los focos del presente, se disuelve en la nada de donde vino. El pensamiento es el padre del miedo. Si acallamos el pensamiento, desaparece el miedo.

Miro a mi alrededor, y no hay nada que me amenace por el momento. Nadie está apuntándome con una pistola cargada; el techo de mi habitación es todo lo sólido que puede ser y no da señales de que vaya a desprenderse y caérseme encima; no tengo hambre ni frío ni estoy enfermo; incluso el teléfono, que es mi única apertura vulnerable al mundo externo, está por ahora piadosamente callado. Tal como estoy, me encuentro perfectamente, gracias; y no hay ninguna catástrofe o desgracia que se cierna sobre mí. Si yo fuera capaz de estar de veras donde estoy y hacer realmente lo que hago, todo me iría de perlas, y no sabría qué es el miedo.

Pero el miedo llega. Entre párrafo y párrafo de esta página que estoy escribiendo, o —para mayor exactitud y para mi vergüenza— en mitad de una frase que queda incompleta con descarada irresponsabilidad, ese incontenible pensamiento que llevo dentro comienza a dar saltos en la cabeza y a encender lucecitas rojas por todos lados. Dentro de pocos días tengo que viajar, y la reserva no está confirmada. ¿Qué hacer? ¿Cancelar el viaje? ¿Arriesgarme? ¿Informar del posible retraso a los que me han invitado, para que cambien las fechas del programa? ¿Y qué gano yo con pensar en todo esto ahora mismo? ¿No es ya hora de volver a lo que tengo entre manos? ¿Por dónde andaba?... Miro con vergüenza y remordimiento la frase interrumpida. Ya no recuerdo cómo pensaba terminarla. Puedo tacharla y volver a empezar, o completarla de alguna manera, confiando en que no se note el remiendo... Vuelta al trabajo. Pero, antes de reanudar la redacción, mi saltarina imaginación vuelve a las andadas. En esta ocasión, la cosa ya es preocupante: si así es como escribo libros, nadie los va a leer; si no puedo concentrarme lo suficiente para acabar una frase y la dejo a mitad sin previo aviso, y luego no recuerdo cómo había pensado terminarla, y vuelvo a perderme (como me está ocurriendo en este mismo momento), y no sé cómo empecé, y menos aún cómo voy a acabar con dignidad al menos, ya que no con elegancia... ¿Por dónde iba yo? Mi imaginación desbocada me ha sacado del presente y me ha lanzado de bruces a un mar de preocupaciones, incertidumbres y miedos. Si fuera capaz de no levantar los ojos de la máquina de escribir, no me ocurriría nada de esto y, al menos, pasaría un rato sin miedos.

La ecuación es clara: una mente que vive en el presente es una mente sin miedos; y una mente que vive en el pasado o en el futuro es caldo de cultivo para toda clase de miedos. La realidad ahuyenta el miedo, mientras que la imaginación lo atrae. El contacto con los hechos nos procura ecuanimidad, objetividad y tranquilidad, mientras que los vuelos de la fantasía acaban llevándonos a la aprensión y la inseguridad. El pensamiento no para y, cuando no lo alimentamos con el presente, salta inmediatamente al pasado o al futuro y destruye la paz del alma. Teóricamente, hay dos maneras de evitar que el pensamiento se dispare: la primera consiste en hacerle fijarse en la tarea que se lleva entre manos; la segunda, en acallarlo por completo. Esta segunda posibilidad es difícil en la práctica, y tal vez imposible en teoría, aunque el mismo Krishnamurti declaraba que podía estar paseando horas enteras sin que un solo pensamiento cruzara su mente: extraña hazaña de un alma excepcional. Para la mayor parte de nosotros, por tanto, la manera práctica de domar la mente y evitar miedos consiste en enfocar el pensamiento sobre la realidad presente, amansar nuestros sentidos, abrir los ojos, ensanchar los pulmones, sensibilizar la piel, percibir constantemente, con inocencia sensorial, todas las impresiones que llegan a nuestras avanzadillas corporales y usarlas para anclar nuestra atención en las playas de la realidad. Nuestros sentidos viven esencialmente en el presente, y el descubrirlos es entrar de lleno en la alegre aventura de luz y sonido que es la vida en cada instante sobre la tierra sólida y bajo el cielo abierto. El miedo está en la mente, no en los sentidos; y la vuelta a los sentidos es el camino de una vida sin miedos.

Sin embargo, y a pesar de todos nuestros esfuerzos, el pensamiento seguirá acechando, y con él el miedo. ¿Qué hacer entonces? Krishnamurti aconseja: sencillamente, míralo a la cara. Cuando el miedo alce su cabeza sobre el horizonte del pensamiento consciente, míralo. Míralo de frente; no lo evites, no disimules, no huyas; no intentes racionalizarlo, neutralizarlo o exorcizarlo; no digas que es algo malo; no lo juzgues ni lo rechaces; sencillamente, déjalo estar. Si te eriges en juez para condenar al miedo, le estarás invitando sin quererlo. Al empujarlo, lo acercas a ti; y al tratar por la fuerza de ignorarlo, lo haces más real. No resistas; simplemente, míralo a la cara, contémplalo, obsérvalo. Esta observación neutral puede por sí misma reducir notablemente los efectos del miedo en nuestros nervios, o incluso suprimirlos del todo. Krishnamurti lo llama «aprender a convivir con el miedo», y dice:

«¿Puedes observar el miedo sin sacar ninguna conclusión, sin interferencia alguna por parte del conocimiento que sobre él has acumulado? Si no puedes, entonces lo que estás observando es el pasado, no el miedo; y si puedes, entonces estás observando el miedo por vez primera sin la interferencia del pasado. Sólo puedes observar cuando la mente está muy callada, del mismo modo que sólo puedes escuchar lo que alguien está diciendo cuando tu mente no está hablando consigo misma acerca de sus problemas y ansiedades. ¿Puedes tú mirar a tu miedo de semejante manera, sin tratar de resolverlo y sin suscitar su contrario, el valor?; ¿puedes sencillamente mirarlo y no tratar de escapar de él? Cuando dices: 'Tengo que controlarlo, tengo que deshacerme de él, tengo que entenderlo'…, estás tratando de huir de él. Puedes observar una nube, un árbol o la corriente de un río con la mente bastante tranquila, porque no te importan mucho; pero observarte a ti mismo es mucho más difícil, porque las exigencias son más prácticas, las reacciones más rápidas. Así pues, cuando estás directamente en contacto con el miedo o la desesperación, con la soledad o la envidia, o con cualquier otro estado desagradable de la mente, ¿puedes mirarlo tan completamente que tu mente quede lo bastante tranquila como para verlo?».

Tengo miedo. La alarma del miedo ha sonado en los pasillos de mi alma. Las luces rojas se encienden. Un miedo concreto a un peligro cercano, mayor o menor, pero lo bastante grande como para afectarme por dentro, me tensa los nervios y me acelera el pulso. O quizá es un miedo general y abstracto, un vago presentimiento, un difuso malestar por el modo en que están las cosas y un siniestro convencimiento de que van a ir peor. El fantasma del miedo, en cualquiera de sus variadas manifestaciones, ha surgido en mi horizonte, y me siento agitado. Intento distraerme. Funciona por un rato. Me sumerjo en mi trabajo, busco a un colega para discutir asuntos comunes con él, voy a dar un paseo, me pongo a orar... Todo eso está muy bien; pero, mientras me ocupo en cualquiera de esas laudables actividades, la oscura memoria del miedo inminente acecha mis pasos desde el crepúsculo de mi subconsciente. Ahí está. No puedo olvidarlo. Después de eludirlo por un rato, vuelve a aparecer, cada vez con un rostro más deforme, cada vez más cerca, cada vez más amenazador. Cuanto más trato de olvidarlo, más lo recuerdo. Sí, tengo miedo. Y como sé que es malo tener miedo, me juzgo a mí mismo, me condeno, me desprecio... Me avergüenza tener miedo.... De este modo, creo toda una cortina de negros sentimientos alrededor de mi desolada mente. El miedo aparecerá una y otra vez, y cada vez con más fuerza; y cuando al fin se marche, bien sea refutado por los hechos, bien por el mero cansancio de la espera, me dejará débil, derrotado... y nuevamente temeroso del próximo miedo, que no tardará en sobrevenir. Ése es el camino de la desesperación y de la ruina moral.

Voy a cambiar mi actitud. Se ha presentado el miedo. Lo veo. Temo que algo me va a ocasionar molestias, incluso serios daños. Ese miedo me ataca y me desafía. Yo lo veo y le dejo estar. Lo miro con desprendimiento interior, con cierta distancia, con tranquilidad. No lo analizo, no me quejo, no trato de entender por qué ha sobrevenido, por qué precisamente ahora y por qué justamente a mí. Mucho menos trato de resolver la situación y desterrar el miedo. Me limito a mirarlo. Sí, tengo miedo, ¿y qué? Me preocupa el peligro cercano; lo sé, y no hay que darle vueltas. No me pongo a pedir ayuda ni paso a la acción. No reacciono ni hacia un lado ni hacia otro. Ni siquiera trato de aceptar la situación y reconciliarme con ella, como tampoco la rechazo. La dejo estar. Observo. Espero. Veo el miedo. Vivo a su lado. No siento ansiedad por saber cuándo desaparecerá ni lo que hará. No me toca a mí cuidarme de eso. Yo no soy más que un testigo imparcial de un suceso neutral. Me observo a mí mismo, mi mente, mi miedo. Dejo que suceda lo que quiera suceder. Contemplo el espectáculo.

En cierta ocasión, me encontré con un oso salvaje en Trevor Tal, el lago del que ya he hablado. Había escuchado un rugido característico procedente de la maleza y, curioso y temerario, me acerqué a investigar. El oso estaba a cuatro patas, pero al verme se alzó sobre sus patas traseras y se quedó unos instantes de pie, como dándome la bienvenida. Era de pelo negro, con una gran V blanca en el pecho, que debía de ser la moda en su especie aquella temporada. Un precioso dibujo para un jersey. Lo miré despacio. Podía distinguir cada una de sus garras, largas y afiladas como una panoplia de cimitarras. Observé los diversos tonos de su largo pelo, el hocico negro y húmedo, los dientes desnudos... Volvió a ponerse a cuatro patas y me miró con la misma calma e interés con que yo lo miraba a él. Yo no sentía en aquel momento ningún deseo de huir ni de acercarme; tampoco intenté prolongar el encuentro; simplemente, me limitaba a contemplar a tan hermoso ejemplar mientras él tuviera a bien ofrecerse a mi vista. El oso, por su parte, que no parecía propenso a establecer una mayor relación conmigo, después de haberme mirado de arriba abajo, volvió hacia mí sus cuartos traseros, con no demasiada cortesía, y se alejó trotando por el valle hacia su guarida. Sólo cuando se hubo marchado, caí yo en la cuenta de lo estúpido que había sido al coquetear con el peligro en tan desigual encuentro. Mis uñas bien cortadas no me habrían servido de mucho ante sus terroríficas garras, si hubiéramos llegado a un apretón de manos. Aunque, posiblemente, el peligro real tampoco fuera para tanto. Nos habíamos limitado a observarnos mutuamente, sin provocación alguna por ninguna de las partes. Ni siquiera le había yo indicado al oso en ningún lenguaje, verbal o no verbal, que se largara y me dejara en paz. Tal vez por ello fue por lo que acabó marchándose tan pacíficamente...

Había mirado a un oso cara a cara. ¿Puedo hacer lo mismo con mis miedos? Quizá sea ésa la única manera de que se vayan.

¡No temas!

Cuando los ángeles anunciaron el nacimiento de Jesús a los pastores de Belén sus primeras palabras fueron: «¡No temáis!»; y cuando llevaron a las santas mujeres en Jerusalén la buena nueva de la resurrección de Jesús, comenzaron también por decir: «¡No temáis!». Todo indica que el mensaje que Jesús vino a traer a hombres y mujeres con su presencia en la tierra y su muerte en la cruz era el destierro del miedo de nuestros corazones. Y también indica que ese mensaje no encuentra mucho eco en general, ya que los ángeles tienen que repetir al final lo que dijeron al principio. La última lección en los manuales angélicos para ayuda de la humanidad es la misma que la primera: «¡No temáis!».

«¿Por qué teméis, hombre de poca fe?» «Levántate y no temas.» «No temas, hija de Sión.» El mismo mensaje les llega a Zacarías, a Pedro, a los discípulos, a las multitudes, la misma alegre noticia que va a cambiar la faz del mundo. No temáis. Es una era nueva. Somos libres. No estamos ya en cautividad, y no hemos de volver a temer a las fuerzas de la naturaleza, al poder de las tinieblas o a los escrúpulos de nuestra propia alma.

Cuando el hombre y la mujer rompieron su primera inocencia en el paraíso, su primera e inmediata reacción fue el miedo. «Oí el sonido de tus pasos en el jardín, y tuve miedo.» Y con miedo continuaron hombres y mujeres por desiertos y ciudades, de día y de noche, en soledad y en sociedad, dondequiera que estuvieran e hicieran lo que hicieran. Temerosos de los pasos de Dios, temerosos de sus propios pasos; temerosos de amigos y enemigos, temerosos de vivir y de morir. Larga cadena de miedos desde el primer aliento hasta el último en el valle de las sombras. Desde que el hombre y la mujer perdieron su inocencia, quedaron condenados a vivir bajo el miedo.

Y el miedo redujo su alegría. Una espada de Dámocles colgaba sobre cada placer, y su amenaza amargaba el gozo. Vive, pero has de morir; come, pero puedes ser envenenado; viaja, pero puedes tener un accidente; ama, pero puedes sufrir. Cada actividad humana tenía su sombra oscura, y la comida se mezclaba con cenizas en la boca. La posesión de un tesoro queda vinculada para siempre al miedo de perderlo; y el desprendimiento de vivir sin tesoros conlleva el mayor miedo de cuánto durará el desprendimiento en un mundo de apegos. Nada es firme, nada es seguro; y una vida sin seguridad es una vida de temores.

La inseguridad nos ataca los nervios. Nos ponemos tensos, y proyectamos nuestras tensiones sobre el mundo que nos rodea. Vemos a los demás como enemigos, y a las oportunidades como amenazas. El trabajo es competencia, y la vida es un campo de batalla. Tenemos los peligros que conocemos, y más aún los que no conocemos pero sospechamos a la vuelta de cada esquina. El miedo que tiene nombre pierde su filo, pero el miedo sin nombre, el fantasma sin rostro, el ataque sin dirección aturde a la mente y paraliza el cuerpo. Miedos sin nombre que llenan de terror oscuro la existencia humana.

La redención es la liberación del miedo. Lavanta la vista, llena tus pulmones, yergue la cabeza, abre la sonrisa, y da la bienvenida a la vida. El poder de la confianza y la alegría del coraje. Ese es el mensaje de la redención. La facultad de presentarse sin temor ante Dios, y en consecuencia ante el mundo entero y toda la creación para trabajar en libertad y vivir con alegría. Eso es lo que Jesús vino a hacer a la tierra. No temáis, ha nacido. No temáis, ha resucitado. Dios está literalmente de parte nuestra porque está con nosostros, y si Dios está con nosotros, ¿quién contra nosotros? Ahora sabemos que cada persona es sagrada, y cada situación es gracia. «Todas las cosas contribuyen para el bien a favor de aquellos que aman a Dios.» Su mano está tras cada suceso, su rostro se dibuja en cada nube. Las cosas tienen sentido porque él lo conoce, y la vida es gozo porque lleva a él. No hay lugar para el miedo en un mundo en el que caminó Jesús, en los corazones que él visita a diario. La antigua maldición no rige ya donde los ojos de hombres y mujeres se han abierto a la realidad suprema del mundo como creación de Dios y la vida como don suyo. No hay lugar al miedo en la casa del Padre.

Esto es fe. Esta es la nueva perspectiva... La vista desde la montaña. El cielo transparente. El camino derecho. Desde la atalaya de la fe no hay oscuridades, no hay emboscadas, no hay miedos. «Y Dios vio que todo era bueno.» Con él lo vemos nosotros también ahora. La vida es bella, la naturaleza es amable, el sufrimiento tiene sentido, y la muerte lleva a la vida. No ignoramos el sufrimiento ni tratamos de ocultarlo ni de evitarlo cuando es inevitable, pero sí buscamos en Cristo la conquista de ese miedo irracional de sufrimientos futuros imaginarios que nos hacen sufrir antes de llegar y nos estropean la vida antes de vivirla. Haremos frente al sufrimiento cuando llegue, como no dejará de llegar en la prueba que es esta vida, pero nos negamos a que nos acobarde su pensamiento, nos atormente su sospecha, nos hiera su miedo.

Tomamos las cosas como vienen, y la vida como es. Cuando aparece en el horizonte una nube negra, nos damos cuenta de ello y tomamos nota, pero no perdemos la calma que ahora disfrutamos bajo el sol por el temor de la tormenta que se avecina. Es posible que la tormenta se disipe para cuando llegue aquí, pero si descarga sobre nuestras cabezas ya sabremos refugiarnos a tiempo, o en el peor de los casos nos mojaremos, y ya nos cambiaremos de ropa y repararemos los daños que pueda haber causado. Pero no nos desanimamos de antemano. Encontramos el valor que derrota al miedo en nuestra fe en Jesús, que ha caminado los caminos de la vida por delante de nosotros, y ahora está a nuestro lado para llevarnos a la victoria con él. «No hay aflicción, penalidad, persecución, hambre, desnudez, peligro o muerte que pueda separarnos del amor de Cristo», dijo san Pablo. Y Juan ofreció el último eslabón en la cadena de oro: «El amor perfecto acaba con el miedo.» Jesús sella nuestro amor, y su amor elimina el miedo de nuestras vidas.

Bendición final de Jesús para todos los que lo aman: «No temáis. Yo he vencido al mundo.»

Colección «PROYECTO»

Editorial SAL TERRAE
Santander